STATISTICS DIRECTORATE
DIRECTION DES STATISTIQUES

SOURCES AND METHODS

PRODUCER PRICE INDICES

SOURCES ET MÉTHODES

INDICES DES PRIX A LA PRODUCTION

ORGANISATION FOR ECONOMIC CO-OPERATION AND DEVELOPMENT
ORGANISATION DE COOPÉRATION ET DE DÉVELOPPEMENT ÉCONOMIQUES

ORGANISATION FOR ECONOMIC CO-OPERATION AND DEVELOPMENT

ORGANISATION DE COOPÉRATION ET DE DÉVELOPPEMENT ÉCONOMIQUES

Pursuant to Article 1 of the Convention signed in Paris on 14th December 1960, and which came into force on 30th September 1961, the Organisation for Economic Co-operation and Development (OECD) shall promote policies designed:

— to achieve the highest sustainable economic growth and employment and a rising standard of living in Member countries, while maintaining financial stability, and thus to contribute to the development of the world economy;

— to contribute to sound economic expansion in Member as well as non-member countries in the process of economic development; and

— to contribute to the expansion of world trade on a multilateral, non-discriminatory basis in accordance with international obligations.

The original Member countries of the OECD are Austria, Belgium, Canada, Denmark, France, Germany, Greece, Iceland, Ireland, Italy, Luxembourg, the Netherlands, Norway, Portugal, Spain, Sweden, Switzerland, Turkey, the United Kingdom and the United States. The following countries became Members subsequently through accession at the dates indicated hereafter: Japan (28th April 1964), Finland (28th January 1969), Australia (7th June 1971) and New Zealand (29th May 1973). The Commission of the European Communities takes part in the work of the OECD (Article 13 of the OECD Convention).

En vertu de l'article 1er de la Convention signée le 14 décembre 1960, à Paris, et entrée en vigueur le 30 septembre 1961, l'Organisation de Coopération et de Développement Économiques (OCDE) a pour objectif de promouvoir des politiques visant :

— à réaliser la plus forte expansion de l'économie et de l'emploi et une progression du niveau de vie dans les pays Membres, tout en maintenant la stabilité financière, et à contribuer ainsi au développement de l'économie mondiale ;

— à contribuer à une saine expansion économique dans les pays Membres, ainsi que les pays non membres, en voie de développement économique ;

— à contribuer à l'expansion du commerce mondial sur une base multilatérale et non discriminatoire conformément aux obligations internationales.

Les pays Membres originaires de l'OCDE sont : l'Allemagne, l'Autriche, la Belgique, le Canada, le Danemark, l'Espagne, les États-Unis, la France, la Grèce, l'Irlande, l'Islande, l'Italie, le Luxembourg, la Norvège, les Pays-Bas, le Portugal, le Royaume-Uni, la Suède, la Suisse et la Turquie. Les pays suivants sont ultérieurement devenus Membres par adhésion aux dates indiquées ci-après : le Japon (28 avril 1964), la Finlande (28 janvier 1969), l'Australie (7 juin 1971) et la Nouvelle-Zélande (29 mai 1973). La Commission des Communautés européennes participe aux travaux de l'OCDE (article 13 de la Convention de l'OCDE).

PRODUCER PRICE INDICES

Table of contents

INDICES DES PRIX À LA PRODUCTION

Table des matières

This publication describes the data series published under the title "Producer Prices (manufacturing)" in the OECD *Main Economic Indicators*. It also describes for most Member countries the more general series they publish for producer prices. It comprises four parts.

The first part describes the common characteristics of producer price indices.

The second part summarizes briefly some of the main characteristics of the producer price indices.

The third part gives a brief description of the producer (or wholesale) price index of each of the OECD Member countries.

The fourth part describes the OECD methodology for aggregating individual country data to zone totals.

The Statistics Directorate of the OECD is greatly indebted to the statistical offices and central banks of the OECD Member countries for their co-operation. Without this assistance, it would not have been possible to publish a text of explanatory notes with any guarantee of accuracy.

PART ONE

Producer Price Indices
Basic Concepts

Definitions

The purpose of producer price indices is to provide a measure of average movements of prices received by producers of commodities. In principle, transport costs and consumption taxes are excluded. Producer price indices are not a measure of average price levels nor a measure of costs of production. Unless otherwise stated in the country notes, the series have country-wide coverage.

Usage

Producer prices are mainly used for analysis of price movements and price formation at the level of industry branches or commodities, for contract escalation (some countries have legal restrictions on this usage), for adjusting fixed assets or stocks to current replacement costs and for national accounts deflation procedures.

Wholesale prices

For several countries the name Producer Price Index replaced the name Wholesale Price Index in the 1970s or 1980s after a change in methodology. Wholesale price indices refer to prices received by the wholesalers while producer price indices do not take into account the organisation of the distribution chain. Many commodities are now sold through many different channels of which wholesale is a part. Moreover, wholesale prices include commercial mark-ups which are not included in producer prices. For some countries, the name Wholesale Price Index is used for historical reasons and in fact refers to a price index following the same methodology as for a Producer Price Index. This publication describes the wholesale price index for the countries which do not measure producer prices.

Organisation

Producer price indices are organised as a system of indices of commodity prices using statistical classifications relative to types of products. For most of the OECD Member countries, the number of items in commodity classifications is greater than 1 000. For every transaction surveyed a relative price, expressing the price in the period under examination as a ratio of the corresponding price in the base period, is calculated. A Laspeyres index of relative prices is constructed for each elemental commodity or commodity group of the classification. Commodities are then aggregated in a Laspeyres index up to the different levels of the classification above the elemental commodity. The manufacturing sector index published in the *Main Economic Indicators* is a final aggregate of these indices.

Aggregation

The elemental series of the classification are constructed as indices of individual product prices. Given the number of transactions occurring for each individual product, a sample approach would be needed to approximate the price movement of one particular elemental product of the classification. Some statistical institutes use a probability technique to select the sample to be surveyed. However, generally this poses too many practical problems and the transactions to be surveyed are determined on a judgemental basis by the statistical institute. The objective is to incorporate the leader and the representative firms of the sector. Survey units are chosen among establishments or groups of establishments which define the price of the product surveyed. An officer from the statistical institute visits all chosen establishments to determine the prices to survey. These prices are generally actual selling prices and correspond to actual transactions defined by date, quantity, type of buyer and all other relevant sales conditions. This particular price will be reported month after month by the surveyed establishment. In general no list prices are used. If the quotation of a particular transaction is impossible, several techniques are applied which are discussed below. The survey is normally conducted by mail questionnaire, though personal visits and telephone reporting are also used in some instances.

Problems of measurement

After the prices to be surveyed have been determined, the main problem encountered is following-up quotations. Because products as well as firms and sale conditions change, some prices in the sample may become impossible to obtain, either temporarily or permanently. Certain prices may, though still available, become less relevant and other prices more appropriate. The following paragraphs give an overview of the different problems encountered, together with the techniques used to cope with these problems. It should be noted that several techniques can be used by the same country for different types of products.

Missing data: if a quotation is missing for a particular

month either the previous quotation is used or an average of similar prices is imputed.

Seasonal products and irregular products: in general the last observation is carried forward throughout the off-season.

Unique products or custom products: for some sectors like the shipping sector a typical transaction cannot be defined. A solution, the "model pricing" approach, consists in having a theoretical product, called a model, priced every month by the surveyed firm.

Changes in quality or sale conditions: the index should not be affected either by changes in quality or changes in the sale conditions. Although it is not always possible to achieve this objective, the following procedures are useful in trying to separate pure price movements from other changes, in the situation where a product is replaced by a substitute product of different quality. In all cases the judgement of the statistical institute officer and his knowledge of the particular product are of vital importance:

- if the two products have been available for some time on the same market and both have sold in reasonable quantities and the prices of the products are stable enough, it can be assumed that the price difference between the products is attributed to quality change. The new series is simply spliced to the old one.

- if the two products are not available at the same time or if their prices have been unstable because of the presence of the two products on the market, the ratio of production costs is used to separate the change in price from the change in quality.

Technological changes and changes in the composition of surveyed products are dealt with by comparing production costs and by applying judgement based on this and other information given by the manufacturer.

Reference

United Nations, New York: *Manual on Producers' Price Indices for Industrial Goods,* Statistical Papers, Series M, No. 66, 1979.

PART TWO

Producer Price Indices
Summary of Characteristics

This section summarizes briefly some of the main characteristics of the indices, which are then set out in detail on a country-by-country basis in the section that follows.

Periodicity

The indices for New Zealand and France are quarterly; all the other indices are produced monthly. A monthly index for France will be published in 1994.

Coverage

Most of these indices only cover domestically produced goods, but in six countries imported goods are also included. For about half of the countries the prices relate only to goods which are sold on the domestic market, while for the other half goods produced for export are also included.

All the indices cover manufacturing, sometimes with minor exclusions. For some countries, the index also includes agriculture, mining and the energy sector.

Basis of prices

The basis of the prices collected in these indices shows quite wide variation. In most of the countries the prices collected are ex-factory prices, though in a few instances such as Japan, Austria and Germany prices on a delivered basis or at the wholesale stage are used at least in part. The prices are normally net of discounts and exclude value added tax, but the position in respect of excise and other taxes, and subsidies, is more varied.

Price collection

In most of the countries around 1 000–1 500 items are priced each month, though the numbers are considerably higher in Australia (3 000) and the United Kingdom (11 500).

According to the information obtained on the methods of data collection, mail surveys are used in all the countries. These surveys are most often operated on a voluntary basis, though for some countries compulsory surveys are used. In addition in Japan this survey is supplemented by telephone enquiries, and personal visits are employed in France, Greece and Spain.

Weights

At the time of writing the weights used in these indices related to a range of years from 1979 to 1992, with 1985 the most common year for the weights (seven of the twenty-two cases). The weights are normally obtained from a census of manufacturing or some alternative source of data on the value of sales or the value of production.

Data revision and Seasonal adjustment

Among the fourteen countries for which information is available on revision practice there are four where the figures are never revised once published. In the other ten, the figures are liable to revision in at least the first quarter following initial publication.

The only country where seasonal adjustment of the producer price index was reported is the United States.

PART THREE

Descriptions of Country Indices
Explanatory Notes

Differences regarding all aspects of the index compilation exist between countries. A number of OECD countries publish several indices which differ from each other by the coverage of the index. The series described generally refers to the series published under the title "Producer Prices (manufacturing)" in the *Main Economic Indicators*. Where a general description of producer price indices is given, the title refers to the system of producer price indices and the actual series published is in the General Information section. The following schematic notes for each country have, as far as possible, the following standard layout:

Series title and Publisher of the series

The title of the series and its English translation are given together with reference to the main official publication containing the series.

General information

The series are presented with 1985=100 as reference year in the *Main Economic Indicators*. The original base and reference years are given in this section together with any existing overlaps of indices calculated with different bases and/or weights. In general, successive base year series are chain-linked together to give historical series. The preliminary date of the next change in base is specified when available. This section also gives the title of the series published under "Producer Prices (manufacturing)" when it is not the series title.

Definitions

This section gives any relevant specifications on the economic or geographic coverage of the index. An indication as to whether taxes are included or excluded is always given. Subsidies are mentioned only in those cases where an adjustment to price to exclude subsidies has been made by the statistical institute. The inclusion of imports and exports is stated when necessary.

Index classification

This section describes the classification(s) used to compile and to publish the indices.

Price collection

This section gives details on the frequency of price collection as well as on the number of quotations and on the quantitative characteristics of the survey. Most of the numbers quoted should be considered as approximate. The *number of quotations* refers to those used in the calculation of the total index. *Weighted items* means items having a weight. They are, in general, partly products and partly varieties of a product.

Weights derivation and Index techniques*

Unless otherwise specified under this title the index is a Laspeyres index with occasional minor weight adjustments between major revisions.

The weights fully described are those used for the "main" classification of the index. In some cases, the weights used for "secondary" classifications are also outlined.

Techniques for dealing with missing data, seasonal products, quality and technological changes are discussed only if they are different from the general practices of Member countries.

Data revision and Seasonal adjustment*

This section indicates how often, if ever, the data are revised, and whether a seasonally adjusted series is produced.

Reference

The most recent publications on methodology are indicated.

* These sections are not used for certain countries.

Industrial Product Price Indexes

Statistics Canada, Ottawa: *Industry Price Indexes* (Catalogue 62-011).

General information

Base year 1986=100 with 1986 weights which were based on the 1986 Census of Manufacturers. The previous base year was 1981=100. The change from the 1981 base to the 1986 base involved new base period weights, but there were no conceptual changes between the indices. From 1956 to 1981 the corresponding series were the Industry Selling Price Indices, which were calculated on different bases.

Definitions

Products included in the index are those of the domestic manufacturing industries for domestic sale and for export. Goods imported and resold by Canadian manufacturers without further processing are included, e.g. motor-cars.

Prices are f.o.b. factory but include mark-ups for wholesaling activity or transportation when provided by the producer. They are net of discounts, federal sales taxes and excise taxes. Promotional prices are taken into account. Prices quoted are prices for new orders accepted by manufacturers on terms of sale representative for the particular commodity.

Index classifications

Main classification: By products, with reference to the Canadian Principal Commodity Groups Classification used for the creation of Input-Output tables, 1986 definition. This classification contains approximately 1 500 groupings.

Other classifications:

By industry, with reference to the Canadian Standard Industrial Classification, 1980 edition, from 1981. Industries are defined in terms of principal kind of commodities produced, as for the annual Census of Manufacturers.

By stage of processing. Three levels of transformations among manufactured goods are distinguished: those used primarily for the manufacture of intermediate goods, those used primarily for the manufacture of finished goods and those which are finished goods.

Price collection

The samples are based on recent Censuses of Manufacturers. About 700 of the 1 314 Principal Commodity Groupings, representing 85 per cent of the value of manufacturing output in 1986, are determined through printed form survey. About 600 groupings are determined indirectly using other groupings or other prices. Twenty-four large value elemental indices, representing 6 per cent of manufacturing output and which are mainly refined petroleum products, are determined by direct measure.

About 10 000 quotations are collected each month from approximately 3 500 producers and refer to the 15th of the month or the last previous business day. Some quotations, mainly in machinery goods, are collected on a quarterly basis only.

Weights derivation and Index techniques

Commodity groupings are aggregated using the Canadian Principal Commodity Groups Classification used for the creation of Input-Output tables, 1986 definition.

Data revision and Seasonal adjustment

The indices first published include estimates for non-response and are revised when the missing returns arrive. Revisions are made monthly to previously published data, for a period of up to six months.

References

Statistics Canada, Ottawa: *Industrial product price indexes 1981=100, Concepts and Methods*, Catalogue 62-556 Occasional, March 1986.

Statistics Canada, Ottawa: *Industry price indexes 1986=100, Users' guide,* Catalogue 62-558 Occasional, April 1991.

Producer Price Indexes

U.S. Department of Labor, Bureau of Labor Statistics (BLS), Washington DC: *Producer Price Indexes*.

General information

Base year 1982 for most indices with weights of 1987. Producer Prices are usually issued during the second week of the month following the reference month. Until 1978 the Producer Price Indexes had been known as the Wholesale Price Indexes. Historical series are available. The series published under the title "Producer Prices (manufacturing)" in the *Main Economic Indicators* is the Producer Price Index for Finished Goods with base year 1982=100.

Definitions

The Producer Price Index covers the output of all industries in the goods-producing sectors of the United States economy. This includes mining, manufacturing, agriculture, fishing, forestry, gas and electricity and goods competitive with those made in the producing sectors, such as waste and scrap materials. Services are also in the universe of Producer Price Indexes; their coverage is currently limited but expanding. Goods shipped between establishments owned by the same company are also included.

Prices are f.o.b. point of production. Discounts granted by producers are reflected, excise taxes are not. Imports are excluded.

Index classifications

By stage of processing.

By product, according to US Census product codes.

By industry, according to the US Standard Industrial Classification (SIC) and down to the 4-digit level. Prices in this classification are compatible with other economic time-series organised by SIC codes including wages, employment and productivity.

By commodity, according to a specialised classification which does not match any standard classification.

By durability of products.

Price collection

Prices are reported monthly by mail questionnaire, with most prices referring to the Tuesday of the week containing the 13th of the month. Selling prices are reported by establishments or groupings of establishments of all sizes selected using a probability sampling technique with the probability of selection proportionate to size. For this exercise, size is measured by the revenue or alternatively the employment of the establishment or groupings of establishments. The sample used for calculating Producer Price Indexes contains 3 200 commodities and 80 000 quotations per month.

Weights derivation and Index techniques

Commodity groupings are aggregated using the 1987 values of shipments from the Census of Manufactures, Census of Mining and similar sources.

Data revision and Seasonal adjustment

All producer price indices are routinely subject to revision once, 4 months after original publication, to reflect the availability of late reports and corrections by respondents. In addition, seasonally adjusted data are revised once per year for the previous five years.

Both seasonally adjusted and unadjusted series are provided by the BLS each month. Seasonal factors used for seasonal adjustment are derived from the X-11 Method.

References

Sarah Gousen, Kathy Monk, and Irwin Gerduk; U.S. Department of Labor, Bureau of Labor Statistics, Washington DC: *Producer Price Measurement: Concepts and Methods, June 1986.*

U.S. Department of Labor, Bureau of Labor Statistics, Washington DC: *BLS Handbook of Methods,* Bulletin 2414, Chapter 16, September 1992.

Domestic Wholesale Price Index

Research and Statistics Department, The Bank of Japan, Tokyo: *Price Indexes Monthly.*

General information

Wholesale Price Indexes are composed of the Domestic Wholesale Price Index (DWPI), Export Price Index (EPI), Import Price Index (IPI), and the Overall Wholesale Price Index (OWPI). The OWPI is compiled from the previous three indexes. Respective weights in the OWPI (the sum of the three indices as 1 000) are 796.76 for the DWPI, 116.9 for the EPI, and 86.34 for the IPI.

The base period for both index and weight calculation is 1990. Linked series are available in the 1990 base back to 1960 using data from old bases — 1985, 1980, 1975, 1970, 1965 and 1960 — and reclassified according to the 1990 base classification.

Definitions

The DWPI covers products of the manufacturing industries for domestic sale (imported goods are excluded). Prices are those of inter-enterprise transactions at the primary wholesalers stage or manufacturer's shipment prices in the case of commodities directly sold to users. They are net of discounts but include a consumption tax from April 1989.

The EPI covers exported commodities and represents overall fluctuations in f.o.b. prices. Compiled on a yen and contractual currency basis.

The IPI covers imported commodities and represents overall fluctuations in c.i.f. prices. Also compiled on a yen and contractual currency basis. The following commodities are excluded from these indices: commodities for which transaction value (weighting) data is not available (e.g. land, buildings); commodities whose prices are difficult to survey continuously (e.g. ships, arms, ammunition, and fresh food).

Index classification

The DWPI is classified into five groups: major group, group, subgroup, commodity class, and commodity. *Major group* and *group* are based on the Japan Standard Industrial Classification. *Subgroup, commodity class,* and *commodity* are based on the Annual Census of Manufacturers, with reference to the Standard Commodity Classification for Japan.

The EPI and IPI are composed of eight groups on the basis of commodity groupings according to customs statistics.

Basic groups in the OWPI are the same as those for the DWPI. This index is not classified into subgroup and commodity class.

Price collection

A voluntary price survey is conducted by the Bank of Japan for each period by phone for the first and second ten-day periods, and in writing at the end of each month. The monthly price index is the average of prices surveyed during three "ten-day" periods of a month. The price of each commodity is obtained from two or more companies (in principle). The Bank of Japan surveys about 3 160 prices for 945 commodities from about 1 280 companies for the Domestic Wholesale Price Index (EPI: about 540 prices for 184 commodities from about 320 companies; IPI: about 560 prices for 184 commodities from about 350 companies). The survey for the DWPI is concentrated in the Tokyo area, but about 620 prices are collected outside Tokyo.

Weights derivation and Index techniques

Data used to determine weights are as follows: for domestic products and for manufactures, the value of shipments as in the Census of Manufacturers 1990, excluding customs-cleared exports in principle; for non-manufactures, the value of shipments estimated on the basis of statistics compiled by government bureaus and industries concerned, excluding customs-cleared exports; and for export and import commodities, customs-cleared exports and imports for 1990 (Ministry of Finance; Japan Exports and Imports by country).

Indices are calculated by a weighted arithmetic average formula using fixed weights for the base period (Laspeyres formula).

Data revision and Seasonal adjustment

Indices are not revised. Seasonally adjusted indices are not available.

Reference

Bank of Japan, Tokyo: *Price Indexes Annual 1992,* March 1993.

Price Indexes of Articles Produced by Manufacturing Industry

Australian Bureau of Statistics, Canberra: *Price Indexes of Articles Produced by Manufacturing Industry,* (ABS Catalogue No 6412.0).

General information

No single overall Producer Price Index is compiled for Australia. Rather a set of sector price indices is produced.

The Price Indexes of Articles Produced by Manufacturing Industry (APMI) are part of a system of price indices which include: Export Price Index; Import Price Index; Price Indexes of Materials Used in Manufacturing Industries; Price Index of Materials Used in House Building; Price Index of Materials Used in Building Other than House Building.

The APMI has a reference base of 1988–89=100 with weights based on the value of production in 1986–87. This series was introduced in May 1990. The previous series, introduced in 1976, had a reference base of 1968–69=100 with weights based on the value of production in 1971–72.

Definitions

The APMI is compiled as a set of "net sector" indices. Indices are compiled for the manufacturing industry as a whole (the Manufacturing Division index) and for each "sub-division" of the manufacturing industry. That is, the universe of the Manufacturing Division index consists of the outputs of the Australian manufacturing industries which are sold or transferred to establishments outside the Manufacturing Division, are exported or are used as capital equipment. Sales to industries within the Manufacturing Division are out of scope. Similarly, the manufacturing sub-division indices relate to sales to purchasers outside of the relevant sub-division.

Prices used in compiling the indices are actual transaction prices received by manufacturers. Discounts granted by producers as well as subsidies received are reflected. Excise, sales tax and other government taxes and charges are excluded.

Index classification

The APMI is classified according to the Australian Standard Industrial Classification (ASIC), 1983 edition. Regimen items correspond to the ASIC class (4-digit) level.

Price collection

Prices are collected using mail questionnaires, and relate to the 15th of the month or the nearest trading day. Prices are collected from approximately 800 establishments in respect of some 3 000 products ("specifications"), with the establishments and products being selected using a judgemental sampling approach.

Weights derivation and Index techniques

Indices are calculated for each base level component from the weighted mean of price relatives for the specifications selected as representative for that component. More aggregated indices are derived by weighting together the relevant component indices, with weights being based on the net value of production in 1986–87 (i.e. the value of production adjusted to remove sales to establishments within the manufacturing sector).

Data revision and Seasonal adjustment

The two most recent observations are preliminary. Seasonally adjusted indices are not available.

Reference

Australian Bureau of Statistics, Canberra: *Producer and Foreign Trade Price Indexes: Concepts, Sources and Methods,* ABS Catalogue No. 6419.0.

Producers Price Index — Outputs

Department of Statistics, Te Tari Tatau, Wellington: *Key Statistics*.

General information

The indices are quarterly, based on December quarter 1982=1000 with weights from the period 1982–1991 depending on the industry. The series published under the title "Producer Prices (manufacturing)" in the *Main Economic Indicators* is the Producers Price Index — Outputs of all Manufacturing Groups. Weights for manufacturing are 1984 based. The PPI is available within 10 weeks after the end of the reference quarter. Historical series are available.

Definitions

The Producers Price Index covers domestically produced goods leaving the producing sectors for domestic sale or for export. For manufactured goods, prices are measured at a level corresponding to factory door prices.

Prices exclude excise and other indirect taxes.

Index classification

The Producers Price Index is based on the New Zealand Standard Industrial Classification (NZSIC).

Price collection

Compulsory mail survey conducted by the Department of Statistics. Price quotations for about 750 broad commodity groups are collected from approximately 3 100 respondents. The prices of certain additional items are obtained from other surveys and publications. Generally, prices are those prevailing on the 15th of the middle month of the quarter, although some prices are obtained monthly and some annually.

Weights derivation and Index techniques

The information necessary for calculating the weights was derived mainly from the economic censuses conducted by the Department of Statistics. Supplementary information is obtained from Parliamentary Reports and Estimates of Expenditure, import and export statistics, company reports, professional and business organisations, government departments, manufacturers, retailers and suppliers of services, etc.

Data revision and Seasonal adjustment

Indices are not revised. No seasonal adjustment is undertaken.

Reference

Department of Statistics, Te Tari Tatau, Wellington.

Index der Grosshandelspreise, Revision 1986
(Wholesale Price Index, 1986 Revision)

Österreichisches Statistisches Zentralamt, Vienna: *Statistische Nachrichten.*

General information

The series are based on 1985 weights with 1986=100 as reference from 1986 onwards. Apart from a change in the base period and in the weights, the updating from the 1976 base to the 1986 base did not involve any conceptual changes. From 1965 to 1976 the corresponding series was the Wholesale Price Index (base: 1964=100).

Definitions

Covers domestically produced and imported goods sold by wholesalers.

Prices are collected exclusively from sales by wholesalers. Prices are actual selling prices, net of discounts, applying to goods for immediate delivery. They exclude the value added tax since its introduction in January 1973; earlier prices included the turnover tax.

Index classification

Main classification: By activity.

Other classification: By commodity function and seasonality.

Price collection

Voluntary survey addressed by the Österreichisches Statistisches Zentralamt to 385 wholesalers, covering 362 commodities. Reporting is by mail. All quotations are collected monthly and refer to the 15th of the month.

Weights derivation and Index techniques

The weights of the groups were derived from 1983 Census of Wholesale Trade and the results of the 1985 sample on Wholesale and Retail trade. The Wholesale Price Index is a Laspeyres index. The calculation is based upon the method of price relatives.

Data revision and Seasonal adjustment

The index is revised for late returns.

Reference

Österreichisches Statistisches Zentralamt, Vienna: *Index der Grosshandelspreise,* Revision 1986 (January 1987).

Indice des prix à la production industrielle (Industrial Product Price Index)

Ministère des Affaires Économiques, Brussels: *Statistiques Industrielles*.

General Information

The base period for both index and weights is 1980. The series published under the title "Producer Prices (manufacturing)" in the *Main Economic Indicators* is the Producer Price Index for Manufactured Goods which forms part of the Industrial Product Price Index.

There are also two complementary indices to the Industrial Product Price Index; the Index of Prices of Agricultural Production (calculated by the Ministry of Agriculture) and a Unit Value Index for Imported Products (calculated by the National Bank of Belgium).

Definitions

The Industrial Product Price Index covers domestic production in industries in NACE classes 11 to 49. The index is based on prices paid towards the fifteenth of the month to the producer at the first stage of trade on the domestic market. The prices do not include value added tax nor any discount, apart from discount for payment in cash.

Index classification

The industrial products are classified according to the eight digit NIPRO code. The first five digits of the NIPRO code give the NACE code.

Price collection

Voluntary mail surveys addressed by the Ministère des Affaires Économiques to industrial enterprises and vendors. The selection of units surveyed is not carried out by random sampling but judgementally. All the prices are collected monthly at a fixed date, at around the fifteenth of the month. All the products chosen must be representative of a larger group of products or have demonstrated longevity in the market.

Weights derivation and Index techniques

The relative importance of the indexed items was assessed on the basis of the sources used for sample selection.

The weighting pattern was derived from information obtained from the National Institute of Statistics at the elementary product level.

Reference

Ministère des Affaires Économiques, Brussels: *L'Indice des Prix à la Production Industrielle* (1991).

Prisindeks for industri i alt, ekskl. skibsværfter
(Price Index for Sales in Manufacturing Industries, excl. shipbuilding, etc.)

Danmarks Statistik, Copenhagen: *Statistikservice: Månedlig ordre– og omsætningsstatistik for industri.*

General information

The current base year for reference and weights is 1985. The previous indices with reference years 1980 and 1975 have been spliced onto the new index to form historical series. A new index with base year 1990 is due to be introduced during 1994.

Definitions

Products are goods manufactured in Denmark and sold on the domestic market (exports and imports are excluded).

Prices are factory gate and exclude V.A.T. and excise duties. Discounts or allowances are not reflected.

Index classification

The commodity classification is the CCCN (Customs Co-operation Council Nomenclature) previously called the Brussels Tariff Nomenclature (Standard International Trade Classification until December 1970).

Price collection

Mail survey addressed by Danmarks Statistik. Prices refer to the 25th or nearest trading day of the month.

Weights derivation and Index techniques

The Producer Price Index for Sales in Manufacturing Industries (excl. shipbuilding, etc.) is based on some 1 300 wholesale price indices (which are converted from base 1980=100 to 1985=100) and on quarterly statistics of manufacturers' sales of commodities. Commodity indices are aggregated with weights proportional to the value of turnover in 1985.

Data Revision and Seasonal adjustment

Indices are not revised. Seasonally adjusted indices are not available.

Reference

Danmarks Statistik, Copenhagen: *Statistikservice: Månedlig ordre– og omsætningsstatistik for industri.*

Teollisuuden tuottajahintaindeksi
(Producer Price Index for Manufactured Products)

Statistics Finland, Helsinki: *Tuottajahintaindeksit.*

General information

The current base year for reference and weights is 1990. The previous indices with reference years 1949, 1975, 1980 and 1985 have been spliced onto the present indices to form historical series. The producer price indices with reference year 1990=100 were introduced in 1993 and were compiled using a revised industrial classification based on NACE rev. 1.

Definitions

Products are manufactured goods produced in Finland and sold either domestically or exported. They include the following commodity groups: minerals, manufactured goods, electricity, gas, heat and water.

Prices reported by producers are the actual prices received by the producer, excluding indirect taxes and including subsidies; those reported by exporters are the exporter's price. Prices are observed at or near first stage of marketing by producers or at export.

Index classification

Main classification: By commodity, using NACE rev. 1.

Other classification: By intended use (raw materials and producers' goods, consumers' goods and investment goods), and by marketing area (domestic or exports).

Price collection

Voluntary survey addressed by Statistics Finland. Prices are collected for 1 333 commodities which were selected in consultation with manufacturers. Prices are requested on average every other month, but prices for essential products with significant weight shares are collected monthly. Most quotations refer to the 15th of the month.

Weights derivation and Index techniques

Weights were derived from industrial statistics, supplemented by national accounts and foreign trade statistics.

Reference

Jarmo Ranki and Anne Forss; Statistics Finland, Helsinki: *Producer Price Indices 1990=100, Handbook for Indices Users,* June 1993.

Indice de prix de vente industriels (hors T.V.A.)
Ensemble des industries autres qu'agricoles et alimentaires — Biens intermédiaires
(Industrial Selling Price Index Excluding V.A.T. — Intermediate Goods)

Institut National de la Statistique et des Études Économiques (INSEE), Paris: *Bulletin mensuel de statistique.*

General information

The Industrial Selling Price Index Excluding V.A.T. — Intermediate Goods is part of a system of price indices which include the food, beverage and tobacco industries; energy; intermediate goods; and some investment and consumer goods industries. The current base year for reference and weights is 1985. New indices with reference and base year of 1990 will be published in 1994. Historical series are available from 1980.

Definitions

Products are goods manufactured in France sold on the domestic market (exports and imports are excluded). Prices exclude V.A.T., but include specific taxes.

Index classification

Product indices are combined according to the French product classification *Nomenclatures d'activités et de produits (1973)* (NAP U04).

Price collection

Prices are collected by personal visits and by mail. The prices for most intermediate goods are collected every month, although the index is published quarterly. A monthly index for intermediate goods which will replace the present quarterly index will be published in 1994. Quotations refer to either the end of the period or to monthly or quarterly averages.

Weights derivation and Index techniques

The weights reflect the value of sales in the domestic market in 1985. The weights are expected to be revised in 1994.

Data revision and Seasonal adjustment

The monthly indices (once published) will be provisional for six months. The quarterly indices are provisional for two quarters. No seasonal adjustment is undertaken.

Reference

Institut National de la Statistique et des Études Économiques, Direction Générale, Département des Répertoires et Statistiques d'Entreprises, Paris: *Prix de vente industriels,* No. 1946/E140, October 1990.

Index der Erzeugerpreise gewerblicher Produkte auf Basis 1985
(Index of Producers' Prices for Industrial Products on Base 1985)

Statistisches Bundesamt, Wiesbaden: *Wirtschaft und Statistik*, and subject-matter Series 17, Series 2.

General information

The statistics on Producers' Prices published for Germany in the *Main Economic Indicators* refer to "Western Germany" (Federal Republic of Germany before the unification of Germany). An index of producers' prices is now also calculated for the new Länder and Berlin-East.

The current base year for reference and weights is 1985. The series has been spliced onto series on bases 1980, 1976, 1970, 1962, 1958, 1950 to give historical series. The base year for the new Länder and Berlin-East is 1989.

Definitions

Products are domestically produced industrial goods sold on the domestic market. Exports are excluded. Domestic production covers the output of mining and manufacturing industries, electricity, gas, and water. The series published in *Main Economic Indicators* relate to the output of manufacturing industries only.

Prices collected are actual selling prices of goods for immediate delivery, net of discounts, either on a delivered basis or f.o.b. production or selling point, whichever is more convenient for continuous reporting. They exclude the value added tax since January 1968; earlier prices included all indirect taxes. Transactions are sales by producers to other producers or wholesalers. Sales by producers to retailers in the case of commodities for which this is the usual channel of distribution are also included; this also applies to sales by producers to final users such as households.

Index classifications

Main classification: By industry of origin, with reference to the Systematisches Güterverzeichnis für Produktionsstatistiken (German standard commodity classification for production statistics), 1982 edition (for the new Länder and Berlin-East the 1989 edition was used).

Price collection

Compulsory mail survey conducted by statistical offices of individual states and to a small extent by the Statistisches Bundesamt. The sample includes producers and communal or regional distributors. Most of the quotations are collected monthly and refer to the 21st of the month or nearest transaction date.

All groups of the industrial classification except ships and aircraft are represented in the survey. Commodities are chosen according to their relative importance measured by share in the group's deliveries and to their suitability for continuous pricing. Preference is given to commodities whose price movements will reflect those of a whole range of goods. All large firms and some medium size ones are surveyed. The regional distribution of industry is also taken into account.

Reference

Statistisches Bundesamt, Wiesbaden: *Wirtschaft und Statistik, No. 4*, 1988.

Wholesale Price Indices of Finished Products — Final Demand: General Index

National Statistical Service of Greece, Athens: *Monthly Statistical Bulletin*.

General information

The current base year for reference and weights is 1980. The previous base year was 1970. A series based on 1952 weights was calculated but this series is not comparable with the current series since the 1952 based index relates to wholesale trade in general whereas the current series is based on the economic flows approach. A new index with base year 1990 is being prepared.

Definitions

Products included in the index are domestically produced finished goods leaving the producing sectors for domestic sales, imported goods (excluding raw materials) and exported domestic goods (including raw materials). Domestic production covers the output of agriculture, fishing, mining, and manufacturing industries.

Prices surveyed apply to goods for immediate delivery transacted in the most usual quantities and payment conditions for the reporting enterprise. On the home market, prices of domestic goods are actual selling prices, f.o.b. production point, net of discounts, taxes, and any extra charges paid to third parties. For imported goods, prices are c.i.f. prices excluding customs duties and local taxes. For exports, prices are f.o.b. prices, including taxes payable until loading.

Index classification

For industrial products the NIPRO classification of the EC is used.

For agricultural products a classification harmonised with the EC classification is used.

Price collection

Mail and personal visits by agents of the National Statistical Service of Greece to surveyed producers. 3 150 prices are collected each month for 906 commodities from a large number of enterprises. Transactions surveyed for domestic goods are sales by industrial enterprises, exporters, and by wholesalers supplying agricultural markets. For imported goods purchases by importers are surveyed.

Weights derivation and Index techniques

Commodity indices are aggregated with weights proportional to the value of sales by a producing sector to a consuming sector in the base period (1980). Weight imputations are made for products represented by an index item. The information necessary for calculating the weights was derived mainly from data available to the Ministries of Agriculture and Industry and foreign trade statistics collected by the National Statistical Service of Greece. For quantities of agricultural products, averages of 1979–1980 annual totals were used.

Reference

National Statistical Service of Greece, Athens: *Revised Wholesale Price Indices (1980=100)*, 1988.

Wholesale Price Index

Central Statistics Office, Cork: *Statistical Bulletin.*

General information

The current base year for reference and weights is 1985. The series have been spliced onto 1980 based indices to produce continuous series from 1980 onwards. The series published under the title "Producer Prices (manufacturing)" in the *Main Economic Indicators* is Wholesale Price Indices (excluding V.A.T.) — Output Price Index for Manufacturing Industries which is derived from Industrial Producer Price Indices.

Definitions

The Industrial Producer Price Indices are a part of a system of price indices which includes a general Wholesale Price Index (reflecting overall changes in price levels of industrial output, agricultural output and imports), together with separate Wholesale Price Indices for building and construction materials, capital goods and energy products purchased by manufacturing industry.

The Industrial Producer Price Indices relate to the total output of industrial establishments including both domestic sales and exports. The series published in the MEI (referred to above) is calculated on a net sector basis i.e. the weights used to combine the sectoral indices exclude within sector sales and sales to other sectors of manufacturing industry. Prices reported relate to actual transaction prices of the 15th or the nearest trading day of the month. They are f.o.b. production point and exclude indirect taxes but include excise duties. They are net of subsidies.

Index classification

Producer Prices are classified according to the NACE, the General Industrial Classification of Industrial Activities of the European Community. A classification by large sectors is also available.

Price collection

Prices for the system of price indices are collected by voluntary mail survey addressed by the Central Statistics Office to about 900 firms for a total of 5 500 price quotations.

Weights derivation and Index techniques

Commodity indices are aggregated with weights proportional to base values of gross output from the 1985 Census of Industrial Production. The 2- and 3-digit NACE sectoral price indices are then aggregated using net output weights to produce indices for broader aggregates such as the total manufacturing industry. Net sector output (i.e. output where sales between the various sectors of the manufacturing industry are excluded) is determined using 1985 input-output tables.

Data revision and seasonal adjustment

The indices first published may be revised at a later date. Seasonally adjusted indices are not available.

Reference

Central Statistics Office, Dublin: *Wholesale Price Index — Introduction of Updated Series Base Year 1985 as 100,* October 1989.

Numeri indici dei prezzi alla produzione dei prodotti industriali
(Producer Price Index)

Istituto Nazionale di Statistica, Rome: *Bollettino Mensile di Statistica.*

General information

The current index is based on 1990, based on weights derived from the National Accounts.

Definitions

The index covers goods sold at the point of first entry into the domestic market.

Index classification

By commodity (1 106), in accordance with the Common Nomenclature of Industrial Products.

By groups (110) and by branch (23) in accordance with the Input/Output classes of the EC's General Classification of Economic Activities. Additionally the index is provided in the form of consumer goods, investment goods and intermediary goods.

Price collection

Prices are collected by mail from a sample survey of industrial enterprises. They are collected monthly, and refer to the middle of the month. Prices do not include transportation; V.A.T. is excluded, other taxes are included.

Weights derivation and Index techniques

1 106 commodity indices are developed as simple arithmetic averages of 11 600 individual indices supplied by reporting establishments. Subsequent aggregations to group, branch, and total level are developed using the Laspeyres formula — the weightings used in the first step (i.e. to group indices) being derived from value of production data, while higher level aggregations use weightings derived from sales into the domestic market.

Data revision and Seasonal adjustment

Data are not revised. No seasonal adjustment is undertaken.

References

Istituto Nazionale di Statistica, Rome: *Bollettino Mensile di Statistica.*

Istituto Nazionale di Statistica, Rome: *Numeri indici dei prezzi alla produzione dei prodotti industriali, base 1980=100. Metodi e norme — Serie A, No. 26, 1990.*

Indice des prix à la production des produits industriels (Industrial Producer Price Indices)

Service Central de la Statistique et des Études Économiques, Luxembourg: *Indicateur Rapide Série A3.*

General information

The base period for both the index and weights is 1985. The weighting is derived from the 1983 "value added in industry" survey, updated to 1985 through the use of available individual questionnaires from the corresponding 1985 survey, from information from the 1985 monthly survey of industrial activity, etc.

Definitions

The PPI covers products sold into the domestic and export markets by industries of Divisions 2 to 4 of the EC's NACE, excluding craft industries and the producers and distributors of electricity and gas.

Prices relate to "factory-gate" transactions (i.e. at the point of first entry into the market) and include net taxes (except VAT), other taxes and subsidies. "Sale" reductions are also taken into account.

Index classification

Main classification: By commodity and groups thereof in accordance with the EC's classification of industrial products.

Other classifications:

Consumer, Investment, and Intermediary products;

Domestic market and export market products.

Price collection

115 establishments provide price information allowing the development of 1 480 product indices. Products priced are chosen in collaboration with the reporting establishments on the basis of the products' overall importance or their ability to represent a group.

Weights derivation and Index techniques

For weights: see "General information" above. Group and total indices are developed using the Laspeyres formula and are weighted arithmetic averages of elemental (i.e. commodity) indices.

Reference

Service Central de la Statistique et des Études Économiques: *Bulletin du Statec, Vol. XXXIV,* No. 2/1988 (published 8 times per year).

Indexcijfers producentenpryzen
(Producer Price Indices)

Centraal Bureau voor de Statistiek, Voorburg/Heerlen: *Maandstatistiek van de Prijzen.*

General information

The current base year for reference and weights is 1985. The current series has been spliced onto series on bases 1980 and 1975 to give historical series. A new index with base year 1990 is due to be introduced during 1994. The series published under the title "Producer Prices (manufacturing)" in the *Main Economic Indicators* is the Producer Price Indices — Output of Manufacturing Industries.

Definitions

The Producer Price Indices are part of a system of price indices which are published by the Netherlands Central Bureau of Statistics. The sectors surveyed are mining and quarrying, manufacturing industries (excluding products of publishing firms, aircraft and ships) and public utilities. Imports are included. Transactions surveyed are domestic sales by producers to other producers, wholesalers or retailers and exports.

Prices surveyed are actual selling prices, generally f.o.b. production point. They exclude value added tax but include duties minus subsidies. The import prices are generally c.i.f.

Index classification

Commodities are classified according to the Dutch Standard Goods Nomenclature (SGN), the first 3 digits of which correspond to the 3-digit code of the SIC 1974.

Price collection

Mail survey addressed by the Centraal Bureau voor de Statistiek. Most prices are reported monthly. About 40 000 price quotations are collected at frequent intervals for the system of price indices.

Weights derivation and Index techniques

Commodity indices are aggregated with weights proportional to the value in 1985 of domestic sales and sales abroad by producers and imports derived from 1985 input-output tables.

Data revision and Seasonal adjustment

The initial indices published are provisional for five months. No seasonal adjustment is undertaken.

Reference

Centraal Bureau voor de Statistiek, Voorburg/Heerlen: *Producentenprijsindexcijfers, 1985=100, Maandstatistiek van de Prijzen,* January 1990.

Produsentprisindeks
(Producer Price Indices)

Statistisk Sentralbyra, Oslo: *Statistisk Månedshefte*.

General information

Series are based on 1981=100. Weights are based on the gross value of domestic production and are derived from the 1979 National Accounts.

Definitions

The scope of the PPI is commodities from the following groups: mining and quarrying, manufacturing and electricity supply.

Prices relate to products of the domestic industries sold on the domestic and export markets, excluding ships and oil drilling platforms. Prices are f.o.b. production point, excluding the value added tax.

Index classification

By products according to the Norwegian Standard Industrial Classification, which is the Norwegian version of the 1968 ISIC.

Price collection

Voluntary mail survey addressed by the Statistisk Sentralbyra.

All quotations are collected monthly and refer to the 15th of the month.

Weights derivation and Index techniques

Product indices are aggregated with base weights proportional to the gross value of domestic production derived from 1979 National Accounts.

Reference

Statistisk Sentralbyra, Oslo: *Rapporter 82/29*, 1982.

Indices de precios industriales
(Industrial Price Index)

Instituto Nacional de Estadística, Madrid: *Boletin Mensuel de Estadística.*

General information

The base period for both index and weights is 1990.

Definitions

The Industrial Price Index covers the sales of products manufactured and sold domestically. Sales between companies of the same sector and with companies of another sector are included. Exports and imports are excluded.

The prices measured are "factory gate" prices, excluding transport costs and taxes.

Index classification

The series are classified on two criteria:

- Activity, according to the National Classification of Economic Activity.

- Economic destination, according to EUROSTAT's classification (intermediate goods, consumer goods, equipment goods).

Price collection

The indices are compiled based on information obtained by a continuous monthly survey addressed to companies employing more than 20 people. This survey of more than 6 000 companies is conducted by mail and by direct interview. The prices measured are observed on the 15th of each month and are not average prices or unit prices. The response rate is about 85 per cent.

Weights derivation and Index techniques

The Industrial Price Index is calculated by Laspeyres methodology using the fixed weighting system of 1990. The weights are based on the importance of the branch of activity and of the products in 1990, derived from the information of the Industrial Survey of 1990:

- At the level of branch of activity derived from the value of sales.

- At the level of product derived from the production cost.

Data revision and Seasonal adjustment

The initial indices published are provisional and may be revised at a later date.

Reference

Instituto Nacional de Estadística, Madrid: *Indice Precios Industriales*, Base year 1990.

Producentprisindex Industriprodukter tillverkade (Producer Price Indices for Manufactured Products)

Statistiska Centralbyran, Stockholm: *Statistiska Meddelanden (Series P)*.

General information

The current index has 1968 as reference year.

Definitions

The Producer Price Index for Manufactured Products is composed of domestic products of manufacturing industries for home sales and for export and is part of a system of price indices which include: Export Price Index; Import Price Index; Producer Price Index home sales (i.e. the PPI excluding exports) and the Price Index for Domestic Supply.

Domestic goods are priced at the first stage of marketing in Sweden, i.e. sales by producers to other producers, wholesalers or other large customers. Prices are f.o.b. production point, excluding excise duties, value added tax and other indirect taxes. Discounts are not taken into account except those granted for payment at short delay.

Index classification

Index numbers are classified according to the 1968 Swedish Standard for Classification of Economic Activities (SNI) which corresponds to the International Standard Industrial Classification (ISIC) at industry group level (4-digit codes).

Price collection

Compulsory mail survey addressed by the Statistiska Centralbyran.

Weights derivation and Index techniques

The sources for the weights in the PPI system are the industrial and foreign trade statistics produced by the Statistiska Centralbyran. The weights are changed once a year.

Data revision and Seasonal adjustment

The indices first published may be revised for late returns. Seasonally adjusted indices are not available.

Reference

Statistiska Centralbyran, Stockholm: *Statistiska Meddelanden, Series P*, No. 26, 1973.

Indice des prix de l'offre totale
(Total Supply Price Index)

Office Fédéral de la Statistique, Berne: *L'indice des prix à la production.*

General information

The previous "wholesale price index" with 1963 as reference year was replaced in June 1993 by two indices with May 1993=100, a producer price index and a complementary import price index. The series published under the title "Producer Prices (manufacturing)" in the *Main Economic Indicators* is an aggregate of the Producer Price Index and the Import Price Index. This is referred to as the Total Supply Price Index.

Definitions

The producer price index covers the agriculture and industrial sectors. The construction and service sectors are excluded. It relates to goods produced and sold on the domestic market or exported by enterprises conducting their activities in Switzerland, and includes primary products, semi-finished goods and finished goods. The prices are measured at the first stage of marketing of the product, on an f.o.b. factory or farm basis, and are net of discounts.

In the import prices index imported goods are priced c.i.f. plus customs duties. This index has a narrower coverage than the producer price index, and only covers a limited number of product groups.

Index classification

The main classification used is by product and based on NACE revision 1.

Other classifications used are by use and by stage of processing on the one hand and by destination (domestic markets and exportation) on the other.

Price collection

For the producer price index about 10 000 quotations are collected periodically from about 2 000 separate data suppliers; most of these are the producers of the goods but some data are provided by professional associations and other bodies. Most data collection is by postal questionnaire.

Prices are collected in the first eight days of the month. However, only those products of which the price varies in the short term are priced on a monthly basis. For other products the prices are collected at quarterly or six-month intervals.

Weights derivation and Index techniques

Both the producer price index and the import price index are Laspeyres indices. They are compiled by using the elementary indices approach, apart from for agriculture and forestry where the average prices method is used.

The weights for the index are based on 1990 national accounts data on the gross value of production. The weights at the level of the sub-groups and the detailed indices depend principally on the information provided by professional associations.

References

Office Fédéral de la Statistique, Berne: *Concept de détail du nouvel indice des prix à la production,* 1992.

Office Fédéral de la Statistique, Berne: *Le nouvel indice des prix à la production et son complément, l'indice des prix à l'importation, succéderont à l'actuel indice des prix de gros: Aperçu des méthodes,* March 1993.

Toptan Eşya Fiyatları İndeksi
(General Wholesale Price Index)

State Institute of Statistics, Ankara: *Monthly Bulletin of Statistics*.

General information

The General Wholesale Price Index is based on 1987 with reference year 1987=100. The previous base year was 1981; the main sector weights under this base were revised for 1987 in 1989. Historical series are available.

Definitions

Products are manufactured goods produced in Turkey and sold domestically. They include the following sectors: agriculture, mining and stone quarrying, manufacturing industry and energy sectors.

Prices reported by producers include value added tax and are factory prices and cash payment prices. Special discounts are not included.

Index classification

ISIC Rev. 2 is used for the wholesale price index.

Price collection

Prices are collected by mail survey to selected firms. 4 340 prices are collected from some 1 648 firms each month.

Weights derivation and Index techniques

Commodity indices are aggregated with 1987 value weights.

Reference

State Institute of Statistics, Ankara: *Wholesale and Consumer Price Indexes Monthly Bulletin*, January 1991 edition.

Index Numbers of Producer Prices: Output of Manufactured Products

Central Statistical Office (CSO), London: *Monthly Digest of Statistics*.

General information

The producer price index is based on 1989 with reference year 1990=100. Weights were generally determined using aggregated annual figures (mainly referring to 1989 but rescaled to the reference year) collected by the CSO in their inquiries into manufacturers' sales. Historical series are available.

Definitions

Products included in the index are those of the domestic manufacturing industries for domestic sales.

Prices are "factory-gate", net of V.A.T. Discounts are reflected. Excise duties (which are levied on cigarettes, manufactured tobacco, and liquor) are included.

Index classification

Until August 1993, industries were defined as in the 1980 Standard Industrial Classification (SIC) of the United Kingdom. Since August 1993, high level aggregate indices have been grouped on the basis of both the 1980 SIC and the 1992 SIC. Series will be published on both groupings until the autumn of 1995 when the 1992 SIC will become the standard classification. Groupings on the 1980 SIC will not be published after that date.

Price collection

Prices are generally collected by a statutory mail survey mainly to producers conducted by the CSO. Prices for around 11 500 items are collected from some 3 500 manufacturers each month. Prices are also obtained from the Ministry of Agriculture, Fisheries and Food, the Department of Trade and Industry, and other bodies.

Prices relate to the average of the whole month. Hence a mid-month price increase will have half its effect in the current month and the remainder in the following month.

Weights derivation and Index techniques

Item indices are aggregated with weights proportional to values of sales in the base period (1989) given by the annual manufacturers' sales inquiry. The source of weight information from 1994 will be PRODCOM, the CSO's inquiry into product statistics. These weights are net of transactions effected within each sector.

Data revision and Seasonal adjustment

The indices first published include estimates for non-response and may be revised when the missing returns arrive. Hence, the two most recent observations are preliminary. The PPI is not seasonally adjusted, primarily because of the difficulty of allowing for the effects of irregular tax changes on drinks and tobacco.

References

Central Statistical Office, London: *Producer Price Indices — Present Practice, Future developments and International Comparisons*, Economic Trends, July 1992.

Central Statistical Office, London: *Wholesale price index, Principles and procedures; Studies in Official Statistics No. 32*, 1980.

PART FOUR

OECD Methodology for Zone Aggregations

Four zone aggregations are produced and published as part of the regular PPI series in the monthly publication *Main Economic Indicators*. These zones are:

OECD-Total

Major Seven

OECD-Europe

EC.

In the consideration of the aggregation method to be employed, it was determined that the most appropriate weighting pattern should be based on the previous year's gross domestic product and purchasing power parity of each Member country.

The conversion of the GDP into a common currency is achieved through the use of purchasing power parities (PPPs). These are rates of currency conversion that equalise the purchasing power of different currencies. In essence, this means that a given sum of money, when converted into different currencies at PPP rates, will buy the same basket of goods and services in all currencies. In other words, PPPs are the rates of currency conversion which eliminate the differences in price levels between countries. Thus, when expenditures on the GDP for different countries are converted into a common currency by means of PPPs, they are in effect expressed at the same set of international prices so that comparison between countries reflects only differences in the volume of goods and services purchased.

Revisions to the weighting pattern are necessitated by two influences. Firstly, countries undertake a continual revision to their National Accounts as additional data become available. Secondly, benchmark PPPs are calculated from survey data at five-year intervals, while PPPs for years other than the benchmark years are

estimations.[1] The availability of PPPs for a new benchmark year normally will require a revision to the estimates made for previous years, i.e. estimates which were originally forward extrapolations are often revised in a backward extrapolation process. However, revisions, whether resulting from changed PPPs or updated National Accounts, are introduced only at the time of the annual incorporation of the weights.

The incorporation of the weights into the calculations of zone indices follows a stepped process that is determined by the availability of National Accounts data. Normally, preliminary National Accounts data for all OECD countries are available some 15 months after the reference year. Thus 1990 weights are derived in March 1992 and are used in calculating zone indices for 1991 (and initially for 1992). In March 1993, 1991 weights can be derived and these are applied against 1992 data (and initially against 1993 data). And so on.

As a consequence of this process, the weight for a given country in a given zone applies, effectively, for only one year and the resultant zone PPI becomes a chain index of linked annual series. Each year the producer price index for each country is set equal to 100 for the December of the previous year with the monthly indices for the zone(s) for January to December of the current year being calculated as weighted average(s) using the country weights of the preceding year (see above). In that the previous December is set equal to 100, the weights in effect apply not to the level of the index itself but, as is essential, to the rate of change in the index.

A simple arithmetic example of zone calculation (and of the determination of the weights) is given by way of explanation.

---

[1] These estimations are based on available benchmark PPP data, modified by the rate of inflation for each country relative to that of the United States, since the PPP converted data are presented in U.S. dollars, a convention having no effect on inter-country comparisons.

A. Derivation of Weights

		PPP	x	GDP (National Currency)	=	Common Currency	Percent weight
1990	Country 1	1	x	92	=	92	92 %
	Country 2	0.80	x	10	=	8	8 %
						100	100 %
1991	Country 1	1	x	100	=	100	91 %
	Country 2	0.91	x	11	=	10	9 %
						110	100 %

B. Producer Price Indices by Country

	Country 1: December index set to 100		Country 2: December index set to 100
1990	Dec	100		100
1991	Jan	101		102
	Dec	112 = 100		124 = 100
1992	Jan	113 = 100.89		126 = 101.61
	Dec	124 = 110.71		148 = 119.35

C. Zone calculation

		Country 1		Country 2			Derived series
1990	Dec						100
1991	Jan	(101 x 0.92)	+	(102 x 0.08)	=	101.08	101.08
	Dec	(112 x 0.92)	+	(124 x 0.08)	=	112.96	112.96
1992	Jan	(100.89 x 0.91)	+	(101.61 x 0.09)	=	$100.955 \times \frac{112.96}{100} =$	114.04
	Dec	(110.71 x 0.91)	+	(119.35 x 0.09)	=	$111.488 \times \frac{112.96}{100} =$	125.94

To produce a series, say 1985=100, it is necessary only to divide the derived series by the mean of 1985 of this derived series.

Note

Given the apparent number of contracts in the international arena relying on the zone indices for indexation purposes, it is perhaps appropriate to emphasise an important caveat. The method for calculating zone totals was chosen because of the perceived need for such indices in economic analysis, where accuracy of the indices was assumed to be crucial. It was further assumed that the benefits derived from the availability of accurate data outweighed the inconveniences associated with the continual revision process.

It is, of course, possible to construct zone indices where the weighting pattern would remain constant for a given period of time (e.g. five years). The weights could be those derived in the PPP benchmark year and could remain constant until the following PPP benchmark year. In this manner a stability, important perhaps in the commercial area, could be achieved. The question of the accuracy of such a zone index, however, would still remain.

La présente publication décrit les séries de données publiées sous le titre « Prix à la production (industries manufacturières) » dans les *Principaux indicateurs économiques* de l'OCDE. Pour la plupart des pays Membres, elle décrit également les séries plus générales d'indices de prix à la production qu'ils publient. Elle se compose de quatre parties.

La première partie présente les caractéristiques communes des indices des prix à la production.

La deuxième partie résume succinctement quelques-unes des principales caractéristiques des indices de prix à la production.

La troisième partie donne une brève description de l'indice des prix à la production (ou de gros) de chacun des pays Membres de l'OCDE.

La quatrième partie expose la méthodologie utilisée par l'Organisation pour agréger les données des différents pays en totaux par zones.

La Direction des Statistiques de l'OCDE tient vivement à remercier pour leur coopération les instituts de statistique et les banques centrales des pays Membres. Sans leurs conseils, elle n'aurait guère été en mesure de préparer des notes explicatives avec une quelconque garantie d'exactitude.

PREMIÈRE PARTIE

Indices des prix à la production
Concepts de base

Définitions

Les indices des prix à la production mesurent les variations moyennes des prix reçus par les producteurs de biens marchands. En principe, les frais de transport et les taxes à la consommation ne sont pas pris en compte. Les indices des prix à la production ne mesurent pas les niveaux de prix moyens ni les coûts de production. Sauf indication contraire dans les notes par pays, les séries couvrent l'ensemble du territoire national.

Utilisation

Les prix à la production servent principalement à analyser les variations des prix et leur formation au niveau des branches d'activité ou des produits, pour la révision des prix des contrats (dans certains pays, cette utilisation est soumise à des restrictions légales), pour l'ajustement des biens de capital fixe ou des stocks aux coûts de remplacement en vigueur et pour la déflation des comptes nationaux.

Prix de gros

Pour plusieurs pays, l'appellation « indice des prix à la production » a remplacé « indice des prix de gros » dans les années 70 ou 80, par suite d'une modification de la méthodologie. Les indices des prix de gros se rapportent aux prix reçus par les grossistes tandis que les indices des prix à la production ne tiennent pas compte de l'organisation de la chaîne de distribution. Beaucoup de produits se vendent maintenant par l'intermédiaire de nombreux circuits différents dont le commerce de gros fait partie. Par ailleurs, les prix de gros comprennent les marges commerciales qui n'entrent pas dans le calcul des prix à la production. Pour certains pays, la désignation « indice des prix de gros » est utilisée pour des raisons historiques et elle correspond en fait à un indice de prix établi suivant la même méthode que celle qui est utilisée pour un indice des prix à la production. La présente publication décrit l'indice des prix de gros pour les pays qui ne mesurent pas les prix à la production.

Organisation

Les indices des prix à la production se présentent comme un système d'indices de prix des produits, établi suivant les classifications statistiques relatives aux types de produits. Pour la plupart des pays Membres de l'OCDE, le nombre d'entrées dans les classifications de produits est supérieur à 1 000. Pour chaque transaction étudiée, il est calculé un prix relatif, qui exprime le prix relevé pour la période examinée par rapport au prix correspondant pour la période de base. Un indice de Laspeyres des prix relatifs est établi pour chaque produit élémentaire ou groupe de produits de la classification. Les produits sont ensuite agrégés en un indice de Laspeyres aux différents niveaux de la classification supérieurs au produit élémentaire. L'indice du secteur manufacturier publié dans les *Principaux indicateurs économiques* est un agrégat final de ces indices.

Agrégation

Les séries élémentaires de la classification sont construites comme des indices des prix des différents produits. Étant donné le nombre de transactions qui s'effectuent pour chaque produit considéré isolément, il faudrait une méthode par échantillonnage pour évaluer approximativement la variation de prix d'un produit élémentaire particulier de la classification. Certains instituts statistiques recourent aux méthodes probabilistes pour choisir l'échantillon à étudier. Cependant, cette solution pose généralement trop de problèmes pratiques et les transactions à étudier sont déterminées de façon subjective par l'institut statistique. L'objectif est d'incorporer le chef de file et les entreprises représentatives du secteur. Les unités à étudier sont choisies parmi les établissements ou groupes d'établissements qui définissent le prix du produit échantilloné. Un agent de l'institut statistique visite tous les établissements choisis afin de déterminer les prix à étudier. Ces prix sont généralement les prix de vente effectifs et correspondent à des transactions effectives définies par date, quantité, type d'acheteur et toutes autres conditions de ventes pertinentes. Ce prix particulier sera notifié chaque mois par l'établissement couvert par l'enquête. On n'utilise généralement pas de prix de catalogue. S'il est impossible d'indiquer le prix d'une transaction particulière, plusieurs techniques sont appliquées, qui sont examinées plus loin. L'enquête est généralement menée par voie de questionnaire envoyé par la poste, mais on recourt aussi, dans certains cas, aux visites sur place et aux notifications par téléphone.

Problèmes de mesure

Une fois que les prix à étudier sont déterminés, le principal problème rencontré est celui du suivi des prix. Comme les produits ainsi que les entreprises et les conditions de vente changent, il devient impossible d'obtenir certains prix dans l'échantillon, temporairement ou en permanence. Certains prix, quoique disponibles, perdent de leur intérêt et d'autres deviennent plus appropriés. On trouvera dans les paragraphes qui suivent un aperçu des différents problèmes rencontrés, ainsi que les techniques utilisées pour y faire face. Il convient de noter que plusieurs techniques peuvent être utilisées par le même pays pour différents types de produits.

Données manquantes : s'il manque un prix pour un mois particulier, on utilise le prix précédent ou on impute une moyenne de prix similaires.

Produits saisonniers ou produits irréguliers : en général, on reporte le dernier prix observé pendant toute la période hors-saison.

Produits uniques ou produits sur mesure : pour certains secteurs tels que celui des transports maritimes, on ne peut pas définir de transaction type. Une solution, la méthode de « Fixation du prix du modèle », consiste à prendre un produit théorique, appelé modèle, dont le prix est fixé chaque mois par l'entreprise couverte par l'enquête.

Changements dans la qualité ou dans les conditions de vente : l'indice ne doit pas se ressentir des changements intervenant dans la qualité ou dans les conditions de vente. Bien qu'il ne soit pas toujours possible d'atteindre cet objectif, on utilise les méthodes suivantes pour tenter de distinguer les variations de prix pures des autres variations, dans le cas où un produit est remplacé par un produit de substitution de qualité différente. Dans tous les cas, le jugement de l'agent de l'institut statistique et sa connaissance du produit en question sont d'une importance décisive :

- si les deux produits sont disponibles depuis un certain temps sur le même marché et qu'il en a été vendu des quantités raisonnables et que leurs prix sont assez stables, on peut supposer que l'écart de prix entre les produits est imputable à un changement de qualité. La nouvelle série est simplement raccordée à l'ancienne.

- si les deux produits ne sont pas disponibles en même temps ou si leurs prix sont instables du fait de leur présence simultanée sur le marché, on utilise le rapport des coûts de production pour distinguer la variation de prix du changement de qualité.

En cas de changements technologiques et de changements dans la composition des produits étudiés, on compare les coûts de production et on porte un jugement en se fondant sur ce critère et sur d'autres informations fournies par le fabricant.

Référence

Nations Unies, New-York : *Manuel d'indices des prix à la production pour les biens industriels,* Études statistiques, série M, N° 66, 1979.

DEUXIÈME PARTIE

Indices des prix à la production
Résumé des caractéristiques

La présente section résume brièvement quelques-unes des principales caractéristiques des indices, qui sont ensuite exposées en détail, pays par pays, dans la section suivante.

Periodicité

Les indices relatifs à la Nouvelle-Zélande et à la France sont trimestriels ; tous les autres indices sont établis sur une base mensuelle. Un indice mensuel pour la France sera publié en 1994.

Champ couvert

La plupart de ces indices couvrent uniquement les produits d'origine nationale, mais dans six pays les produits importés sont aussi pris en compte. Pour environ la moitié des pays, les prix se rapportent seulement aux produits qui sont vendus sur le marché intérieur, tandis que pour l'autre moitié ils concernent aussi les produits destinés à l'exportation.

Tous les indices couvrent les industries manufacturières, à l'exclusion, parfois, de branches d'activité mineures. Pour quelques pays, l'indice couvre également l'agriculture, l'industrie minière et l'énergie.

Types de prix collectés

Les types de prix collectés dans ces indices varient largement. Dans la plupart des pays, les prix recueillis sont les prix départ usine, encore que dans quelques cas, comme au Japon, en Autriche et en Allemagne, on utilise, pour partie du moins, les prix à la livraison ou au stade du commerce de gros. Les prix sont normalement nets de remises et ne tiennent pas compte de la taxe sur la valeur ajoutée, mais la situation varie davantage en ce qui concerne les droits d'accises, les autres taxes et les subventions.

Relevé des prix

Dans la plupart des pays, les prix d'environ 1 000– 1 500 articles sont relevés chaque mois, encore que le nombre d'articles soit beaucoup plus élevé en Australie (3 000) et au Royaume-Uni (11 500).

Selon les informations obtenues sur les méthodes de collecte de données, on utilise les enquêtes par correspondance dans tous les pays. Ces enquêtes sont le plus souvent volontaires, mais il existe des enquêtes obligatoires dans quelques pays. En outre, au Japon cette enquête est complétée par des demandes de renseignements par téléphone, et on recourt aux visites d'agents en France, en Grèce et en Espagne.

Coefficients de pondération

Au moment de la rédaction de la présente étude, les coefficients de pondération utilisés dans ces indices se rapportaient à différentes années allant de 1979 à 1992, la plus couramment utilisée étant 1985 (sept cas sur vingt-deux). Les coefficients de pondération sont généralement obtenus à partir d'un recensement des industries manufacturières ou de certaines autres sources de données sur la valeur des ventes ou la valeur de la production.

Révision des données et désaisonnalisation

Parmi les quatorze pays pour lesquels des informations sont disponibles sur la méthode de révision, il y en a quatre où les chiffres ne sont jamais révisés une fois publiés. Dans les dix autres, les données font l'objet d'une révision, au moins au cours du premier trimestre suivant leur publication initiale.

Les États-Unis sont le seul pays à avoir fait état d'une désaisonnalisation de l'indice des prix à la production.

TROISIÈME PARTIE

Description des indices nationaux
Notes explicatives

Il existe d'un pays à l'autre des différences sous tous les aspects de l'établissement des indices. Un certain nombre de pays de l'OCDE publient plusieurs indices qui diffèrent les uns des autres par le champ couvert. La série décrite se réfère en règle générale à la série publiée sous le titre « Prix à la production (industries manufacturières) » dans les *Principaux indicateurs économiques*. Lorsqu'une description générale des indices de prix à la production est fournie, le titre fait référence à l'ensemble de ces indices et la série effectivement publiée est mentionnée dans la section « Informations générales ». Les notes schématiques présentées ci-après pour chaque pays ont été, autant que possible, divisées comme suit :

Titre et éditeur de la série

Le titre de la série et sa traduction en français sont indiqués. Il est précisé, en référence, la principale publication officielle contenant la série en question.

Informations générales

Les séries sont présentées dans les *Principaux indicateurs économiques* avec 1985=100 comme année de référence. Les années d'origine pour la base et la référence sont indiquées dans cette section, de même que les chevauchements éventuels des indices calculés à l'aide de bases et/ou coefficients de pondération différents. En général, les séries basées sur des années de référence successives s'enchaînent de façon à former des séries rétrospectives. La date provisoire du prochain changement de base est spécifiée lorsqu'elle est connue. Cette section donne également l'intitulé de la série publiée sous le titre « Prix à la production (industries manufacturières) » s'il est différent du titre donné à la section précédente.

Définitions

Cette section donne toutes les précisions concernant le champ économique ou géographique couvert par l'indice. Il est toujours indiqué si les impôts sont compris ou non. Les subventions ne sont mentionnées que dans les cas où l'institut statistique procède à un ajustement pour obtenir les prix hors subventions. La prise en compte des importations et exportations est indiquée si nécessaire.

Classification utilisée

Cette section décrit la (les) classification(s) utilisée(s) pour le calcul et la publication des indices.

Relevé des prix

Cette section donne des détails sur la fréquence des relevés de prix ainsi que sur un certain nombre des prix cités et sur les caractéristiques quantitatives de l'enquête. La plupart des chiffres indiqués doivent être considérés comme approximatifs. Le *nombre de prix* se réfère à ceux qui sont utilisés dans le calcul de l'indice total. Les *articles pondérés* sont les articles affectés d'un coefficient de pondération. Il s'agit en général, pour partie, de produits et, pour partie, de variétés d'un produit.

Élaboration des coefficients de pondération et techniques de calcul de l'indice[*]

Sauf indication contraire, l'indice est un indice de Laspeyres, comportant parfois des ajustements mineurs de coefficients de pondération entre les principales révisions.

Les coefficients de pondération entièrement décrits sont ceux qui sont utilisés pour la classification « principale » de l'indice. Dans certains cas, les coefficients utilisés pour les « classifications secondaires » sont aussi décrits dans leurs grandes lignes.

Les techniques employées pour les données manquantes, les produits saisonniers, les changements qualitatifs et technologiques, ne sont examinées que si elles sont différentes des pratiques générales des pays Membres.

Révision des données et désaisonnalisation[*]

Cette section indique, le cas échéant, la périodicité de la révision des données, et précise s'il est établi une série désaisonnalisée.

Référence

Les publications les plus récentes sur la méthodologie sont indiquées.

[*] Ces sections ne sont pas utilisées pour certains pays.

Indice des prix des produits industriels

Statistique Canada, Ottawa : *Indice des prix de l'industrie* (Catalogue 62-011).

Informations générales

Année de référence 1986=100, les coefficients de pondération de 1986 ayant été calculés à l'aide du Recensement des fabricants de 1986. L'année de référence précédente était 1981=100. Le passage de la base 1981 à la base 1986 a nécessité des coefficients de pondération basés sur une nouvelle période de référence, mais il n'y a pas eu de modifications des définitions entre les indices. De 1956 à 1981, les séries correspondantes étaient les indices des prix de vente des produits industriels qui ont été établis sur différentes bases.

Définitions

Les produits inclus dans l'indice sont ceux des industries manufacturières nationales destinés au marché intérieur et à l'exportation. Les produits importés et revendus par des fabricants Canadiens sans autre transformation, tels que les voitures, sont pris en compte.

Les prix sont les prix f.a.b. départ usine mais ils comprennent les marges du commerce de gros ou du transport lorsque ces activités sont assurées par le producteur. Ils sont nets des remises, des taxes fédérales sur les ventes et des droits d'accise. Les prix promotionnels sont pris en compte. Les prix cités sont les prix des nouvelles commandes acceptés par les fabricants aux conditions de vente représentatives du produit particulier.

Classifications utilisées

Classification principale : par produit, avec référence à la Classification canadienne des groupes principaux de produits utilisée pour l'établissement des tableaux d'entrées-sorties, définition de 1986. Cette classification contient environ 1 500 groupes de produits.

Autres classifications :

Par branche d'activité, avec référence à la Classification canadienne type des industries édition de 1980, à partir de 1981. Les branches d'activité sont définies en fonction du principal type de produits fabriqués, comme pour le Recensement annuel des fabricants.

Par stade de transformation. On distingue trois niveaux de transformation parmi les produits manufacturés : ceux qui servent principalement pour la fabrication de biens intermédiaires, ceux qui servent principalement pour la fabrication de produits finis et ceux qui sont des produits finis.

Relevé des prix

Les échantillons sont établis sur la base des Recensements récents des fabricants. Environ 700 des 1 314 Principaux groupes de produits, représentant 85 pour cent de la valeur de la production manufacturière en 1986, sont déterminés par une enquête sur formulaire imprimé. Environ 600 groupes sont déterminés indirectement à l'aide d'autres groupes ou d'autres prix. Vingt-quatre grands indices élémentaires, représentant 6 pour cent de la production manufacturière et qui sont principalement les produits pétroliers raffinés, sont mesurés directement.

Environ 10 000 prix sont relevés chaque mois auprès de quelque 3 500 producteurs ; ils se rapportent au 15 du mois ou au dernier jour ouvrable précédent. Certains prix, principalement dans l'industrie mécanique, ne sont relevés que tous les trimestres.

Élaboration des coefficients de pondération et techniques de calcul de l'indice

Les groupes de produits sont agrégés selon la Classification canadienne des groupes principaux de produits utilisée pour l'établissement des tableaux d'entrées-sorties, définition de 1986.

Révision des données et désaisonnalisation

Les indices publiés initialement comprennent des estimations en cas de non-réponse et sont révisés lorsque les réponses manquantes arrivent. Des révisions mensuelles sont apportées aux données publiées auparavant, pour une période pouvant aller jusqu'à six mois.

Références

Statistique Canada, Ottawa : *Indices des prix des produits industriels 1981=100, Concepts et méthodes,* Catalogue 62-556, hors-série, mars 1986.

Statistique Canada, Ottawa : *Indices des prix de l'industrie 1986=100, Guide aux utilisateurs,* Catalogue 62-558, hors-série, avril 1991.

Producer Price Indexes
(Indices des prix à la production)

U.S. Department of Labor, Bureau of Labor Statistics, Washington DC : *Producer Price Indexes.*

Informations générales

Année de référence 1982 pour la plupart des indices et coefficients de pondération de 1987. Les indices de prix à la production sont généralement publiés la deuxième semaine de chaque mois suivant le mois de référence. Jusqu'en 1978, les indices des prix à la production s'appelaient indices des prix de gros. Des séries rétrospectives sont disponibles. La série publiée à la rubrique « Indices des prix à la production (industries manufacturières) » dans les *Principaux indicateurs économiques* correspond à l'indice des prix à la production pour les Produits finis calculé sur base 100 en 1982.

Définitions

L'indice des prix à la production couvre la production de l'ensemble des industries des secteurs productifs de l'économie des États-Unis : industries minières et extractives, industries manufacturières, agriculture, pêche, sylviculture, gaz et électricité et biens concurrençant ceux qui proviennent des secteurs productifs, tels que les déchets et matériaux de rebut. Les services sont également inclus dans l'indice des prix à la production ; leur couverture est limitée mais prendra une part plus importante à l'avenir. Les produits livrés entre établissements d'une même entreprise sont aussi pris en compte.

Les prix sont f.a.b. au point de production. Il est tenu compte des remises accordées par les producteurs, mais pas des droits d'accise. Les importations ne sont pas prises en compte.

Classifications utilisées

Par stade de transformation.

Par produit, selon la codification de l'US Census.

Par branche d'activité, selon l'US Standard Industrial Classification (SIC) et en descendant jusqu'aux codes à 4 chiffres. Les prix relevés suivant cette classification sont compatibles avec les autres séries chronologiques économiques établies selon les codes de la SIC et incluant les salaires, l'emploi et la productivité.

Par biens, suivant une classification spéciale qui ne correspond à aucune classification type.

Par durabilité des produits.

Relevé des prix

Les prix sont relevés chaque mois par questionnaire envoyé par courrier, la plupart des prix se rapportant au mardi de la semaine contenant le 13 du mois. Les prix de vente sont notifiés par les établissements ou groupes d'établissements de toutes tailles selon une méthode probabiliste d'échantillonnage dans laquelle la probabilité de sélection est proportionnelle à la taille de l'établissement. Pour cette opération, la taille est mesurée par le revenu ou encore par l'emploi de l'établissement ou du groupe d'établissements. L'échantillon contient 3 200 produits et 80 000 prix par mois.

Élaboration des coefficients de pondération et techniques de calcul de l'indice

Les groupes de produits sont agrégés à l'aide des valeurs des livraisons fournies par le Census of Manufactures de 1987, le Census of Mining et autres sources similaires.

Révision des données et désaisonnalisation

Tous les indices de prix à la production font l'objet d'une révision régulière, quatre mois après leur publication initiale, afin de tenir compte des réponses et corrections envoyées tardivement par les personnes interrogées. De plus, les données corrigées des variations saisonnières sont révisées une fois par an sur les cinq dernières années.

Des séries désaisonnalisées et non désaisonnalisées sont fournies chaque mois par la BLS. Les facteurs saisonniers utilisés pour la désaisonnalisation sont dérivés de la méthode X-11.

Références

Sarah Gousen, Kathy Monk et Irwin Gerduk ; U.S. Department of Labor, Bureau of Labor Statistics, Washington DC : *Producer Price Measurement : Concepts and Methods,* juin 1986.

U.S. Department of Labor, Bureau of Labor Statistics, Washington DC : *BLS Handbook of Methods,* Bulletin 2414, Chapter 16, septembre 1992.

Indices des prix de gros intérieurs

Research and Statistics Department, Banque du Japon, Tokyo : *Price Indexes Monthly.*

Informations générales

Les indices des prix de gros se composent de l'indice des prix gros intérieurs (IPGI), l'indice des prix à l'exportation (IPE), l'indice des prix à l'importation (IPI), et l'indice global des prix de gros (IGPG). L'IGPG est établi à partir des trois indices précédents. Les coefficients de pondération respectifs utilisés dans l'IGPG (la somme des trois indices étant égale à 1 000) sont 796.76 pour l'IPGI, 116.9 pour l'IPE et 86.34 pour l'IPI.

La période de base pour le calcul de l'indice et des coefficients de pondération est 1990. Des séries liées sont disponibles dans la base 1990 remontant jusqu'à 1960 établie, à partir des données des anciennes bases — 1985, 1980, 1975, 1970, 1965 et 1960 — et reclassifiées selon la classification de la base 1990.

Définitions

L'IPGI couvre les produits des industries manufacturières destinés au marché intérieur (les produits importés ne sont pas pris en compte). Les prix sont ceux des transactions interentreprises au niveau des grossistes primaires ou les prix des livraisons des fabricants dans le cas de produits vendus directement aux consommateurs. Ils sont nets de remises mais comprennent une taxe à la consommation à partir d'avril 1989.

L'IPE couvre les produits exportés et représente les fluctuations globales des prix f.a.b. Il est établi à partir de prix en yen et en monnaie contractuelle.

L'IPI couvre les produits importés et représente les fluctuations globales des prix c.a.f. Il est aussi établi à partir de prix en yen et en monnaie contractuelle. Sont exclus de ces indices les produits suivants : produits pour lesquels les chiffres (servant de pondération) des valeurs des transactions ne sont pas disponibles (par exemple, le terrain, les constructions) ; les produits dont les prix sont difficiles à relever de façon continue (par exemple les navires, les armes, les munitions et les produits alimentaires frais).

Classification utilisée

L'IPGI est classifié en cinq groupes : groupe principal, groupe, sous-groupe, classe de produits et produit. Le *groupe principal* et le *groupe* suivent la Japan Standard Industrial Classification. Le *sous-groupe,* la *classe de produits* et le *produit* sont établis d'après l'Annual Census of Manufacturers, avec référence à la Standard Commodity Classification for Japan.

L'IPE et l'IPI se composent de huit groupes, sur la base des groupements de produits de statistiques douanières.

Les groupes de base de l'IGPG sont les mêmes que ceux de l'IPGI. Cet indice n'est pas classifié en sous-groupes et classes de produits.

Relevé des prix

L'enquête volontaire sur les prix est menée par la Banque du Japon pour chaque période, par téléphone pour la première et la seconde période de dix jours, et par écrit à la fin de chaque mois. L'indice mensuel des prix est la moyenne des prix relevés pendant trois périodes de « dix jours » dans le mois. Le prix de chaque produit est obtenu auprès de deux entreprises ou plus (en principe). La Banque du Japon relève environ 3 160 prix pour 945 produits auprès d'environ 1 280 entreprises pour l'indice des prix de gros intérieurs (IPE : environ 540 prix pour 184 produits auprès d'environ 320 entreprises ; IPI : environ 560 prix pour 184 produits auprès de quelque 350 entreprises). L'enquête destinée au calcul de l'IPGI est concentrée sur la région de Tokyo, mais environ 620 prix sont relevés en dehors de cette ville.

Élaboration des coefficients de pondération et techniques de calcul de l'indice

Les données utilisées pour déterminer les coefficients de pondération sont les suivantes : pour les produits intérieurs, pour les produits manufacturés, la valeur des livraisons telle qu'elle est donnée par le Census of Manufacturers 1990, à l'exclusion, en principe, des exportations dédouanées ; pour les produits non manufacturés, la valeur des livraisons estimée sur la base des statistiques établies par les bureaux administratifs et industries concernés, à l'exclusion des exportations dédouanées ; et pour les produits d'exportation et d'importation, les exportations et importations dédouanées pour 1990 (Ministère des finances ; exportations et importations du Japon par pays).

Les indices sont calculés à l'aide d'une formule de moyenne arithmétique pondérée utilisant des coefficients de pondération fixes pour la période de base (formule de Laspeyres).

Révision des données et désaisonnalisation

Les indices ne sont pas révisés. Il n'y a pas d'indices désaisonnalisés disponibles.

Référence

Bank of Japan, Tokyo : *Price Indexes Annual 1992,* mars 1993.

Price Indexes of Articles Produced by Manufacturing Industry
(Indices des prix à la production des articles des industries manufacturières)

Australian Bureau of Statistics, Canberra : *Price Indexes of Articles Produced by Manufacturing Industry,* Australie (Catalogue ABS N° 6412.0).

Informations générales

Il n'existe pas d'indice global des prix à la production pour l'Australie, mais un ensemble d'indices de prix par secteur.

Les indices de prix à la production des articles des industries manufacturières (Price Indexes of Articles Produced by Manufacturing Industry — APMI) font partie d'un système d'indices de prix qui comprend : l'indice des prix à l'exportation, l'indice des prix à l'importation, les indices des prix des matériaux utilisés dans le secteur manufacturier, l'indice des prix des matériaux de construction de logements, l'indice des prix des matériaux de construction hors secteur du logement.

L'APMI a pour année de référence 1988–89=100 et les coefficients de pondération sont basés sur la valeur de la production en 1986–87. Cette série a été créée en mai 1990. La série précédente, créée en 1976, avait pour année de référence 1968–69=100 et les coefficients de pondération étaient basés sur la valeur de la production de 1971–72.

Définitions

L'APMI est une série d'indices « sectoriels nets ». Des indices sont établis pour l'ensemble du secteur manufacturier (« Manufacturing Division index ») et pour chaque « sous-secteur » du secteur manufacturier. Cela signifie que l'indice du secteur manufacturier couvre les produits des industries manufacturières australiennes qui sont vendus ou transférés à des établissements extérieurs au secteur manufacturier, et exportés ou utilisés comme biens d'équipement. Les ventes aux industries du secteur manufacturier ne sont pas couvertes. De même, les indices des sous-secteurs manufacturiers se rapportent aux ventes faites à des acheteurs extérieurs au sous-secteur en question.

Les prix utilisés pour l'établissement des indices sont les prix de vente effectifs reçus par les fabricants. Les remises accordées par les fabricants et les subventions reçues sont prises en compte. Les droits d'accises, la taxe sur les ventes et autres taxes et prélèvements ne sont pas pris en compte.

Classification utilisée

L'APMI est classifié selon l'Australian Standard Industrial Classification (ASIC), édition de 1983. L'univers des indices correspond à la classe (4 chiffres) de l'ASIC.

Relevé des prix

Les prix sont relevés à l'aide de questionnaires envoyés par courrier et se rapportent au 15 du mois ou au jour ouvrable le plus proche. Ils sont relevés auprès de quelque 800 établissements, pour environ 3 000 produits (« spécifications »), les établissements et les produits étant sélectionnés à l'aide d'une méthode d'échantillonnage subjective.

Élaboration des coefficients de pondération et techniques de calcul des indices

Les indices sont calculés pour chaque composante du niveau de base à partir de la moyenne pondérée des prix pour les spécifications sélectionnées comme représentatives de cette composante. Des indices plus agrégés sont calculés en pondérant les indices des composantes utilisées, les coefficients de pondération étant basés sur la valeur nette de la production en 1986–87 (c'est-à-dire la valeur de la production corrigée pour exclure les ventes à des établissements du secteur manufacturier).

Révision des données et désaisonnalisation

Les deux dernières observations sont provisoires. Les indices désaisonnalisés ne sont pas disponibles.

Référence

Australian Bureau of Statistics, Canberra : *Producer and Foreign Trade Price Indexes : Concepts, Sources and Methods,* ABS Catalogue N° 6419.0.

Producers Price Index — Outputs
(Indice des prix à la production — produits)

Department of Statistics, Te Tari Tatau, Wellington : *Key Statistics.*

Informations générales

Les indices sont trimestriels, basés sur le trimestre de décembre 1982=1000, les poids couvrant la période 1982–1991 dépendant du type de l'industrie. La série publiée sous le titre « Indices des prix à la production (industries manufacturières) » dans les *Principaux indicateurs économiques* est l'« Indice des prix à la production — produits » relatif à l'ensemble des groupes d'industries manufacturières. L'indice des prix à la production est disponible dix semaines après la fin du trimestre de référence. Des séries rétrospectives sont disponibles.

Définitions

L'indice des prix à la production couvre les produits d'origine nationale quittant les secteurs productifs en vue de la vente sur le marché intérieur ou de l'exportation. Pour les produits manufacturés, les prix sont mesurés à un niveau correspondant à la sortie usine.

Les prix ne comprennent pas les droits d'accises et autres impôts indirects.

Classification utilisée

L'indice des prix à la production est basé sur la New Zealand Standard Industrial Classification (NZSIC).

Relevé des prix

Une enquête obligatoire par correspondance est menée par le Department of Statistics. Plus de 8 600 prix sont relevés pour quelque 750 groupes généraux de produits, auprès d'environ 3 100 entreprises. Les prix de certains articles supplémentaires proviennent d'autres enquêtes et publications. En général, les prix sont ceux qui sont en vigueur le 15 du deuxième mois du trimestre, mais certains prix sont relevés tous les mois et d'autres tous les ans.

Élaboration des coefficients de pondération et techniques de calcul de l'indice

Les données nécessaires au calcul des coefficients de pondération sont tirées principalement des recensements économiques effectués par le Department of Statistics. Des informations complémentaires proviennent des rapports parlementaires et des estimations de dépenses, des statistiques relatives aux importations et aux exportations, des rapports des entreprises, des organismes professionnels, des services administratifs, des fabricants, des détaillants et prestataires de services, etc.

Révision des données et désaisonnalisation

Il n'y a pas de désaisonnalisation.

Référence

Department of Statistics, Te Tari Tatau, Wellington.

Index der Erzeugerpreise gewerblicher Produkte auf Basis 1985
(Indice des prix à la production des produits industriels sur la base 1985)

Statistisches Bundesamt, Wiesbaden : *Wirtschaft und Statistik*.

Informations générales

Les statistiques relatives aux prix à la production pour l'Allemagne, publiées dans les *Principaux indicateurs économiques*, se rapportent à l'« Allemagne occidentale » (la République fédérale d'Allemagne avant l'unification). Un indice des prix à la production est calculé aussi pour les nouveaux Länder et pour Berlin-Est.

L'année de base actuelle pour l'indice et pour les coefficients de pondération est 1985. Les séries ont été raccordées aux séries de base 1980, 1976, 1970, 1962, 1958 et 1950 afin de former des séries rétrospectives. L'année de base pour les nouveaux Länder et Berlin-Est est 1989.

Définitions

Les produits sont les produits industriels d'origine nationale vendus sur le marché intérieur. Les exportations ne sont pas couvertes. La production nationale couvre la production des industries minières et manufacturières, l'électricité, le gaz et l'eau. Les séries publiées dans les *Principaux indicateurs économiques* se rapportent à la production des industries manufacturières uniquement.

Les prix relevés sont les prix de vente effectifs des biens destinés à livraison immédiate, nets de remises, soit à la livraison, soit f.a.b. point de production ou de vente, selon ce qui est plus commode pour le relevé en continu. Ils ne tiennent pas compte de la taxe sur la valeur ajoutée depuis 1968 ; avant cette date, les prix comprenaient tous les impôts indirects. Les transactions sont les ventes des producteurs à d'autres producteurs ou à des grossistes. Les ventes des producteurs à des détaillants dans le cas des produits pour lesquels c'est le circuit habituel de distribution sont aussi prises en compte ; ceci s'applique aussi aux ventes par les producteurs aux consommateurs finals comme des ménages.

Classifications utilisées

Classification principale : par industrie d'origine, avec référence au Systematisches Guterverzeichnis für Produktionsstatistiken (classification allemande type des produits pour les statistiques de la production), édition de 1982 (pour les nouveaux Länder et Berlin-Est, l'édition de 1989 est utilisée).

Relevé des prix

Enquête obligatoire par courrier menée par les bureaux de statistiques des différents Länder et, pour une petite part, par le Statistisches Bundesamt. L'échantillon comprend les producteurs et les distributeurs communaux ou régionaux. La plupart des prix sont relevés mensuellement et se rapportent au 21 du mois ou au jour ouvrable le plus proche.

Tous les groupes de la classification industrielle à l'exception des navires et des aéronefs sont représentés dans l'enquête. Les produits sont choisis en fonction de leur importance relative mesurée par leur part dans les livraisons concernant le groupe de produits et en fonction de leur commodité pour le relevé en continu. Préférence est donnée aux produits dont les variations de prix reflètent celles de toute une gamme de produits. Toutes les grandes entreprises et certaines entreprises moyennes sont couvertes par l'enquête. La répartition régionale de l'activité est aussi prise en compte.

Référence

Statistisches Bundesamt, Wiesbaden : *Wirtschaft und Statistik,* N° 4, 1988.

Index der Grosshandelspreise, Revision 1986
(Indice des prix de gros, Révision 1986)

Österreichisches Statistisches Zentralamt, Vienne : *Statistische Nachrichten.*

Informations générales

Les séries sont basées sur les coefficients de pondération de 1985 avec 1986=100 comme année de référence à partir de 1986. Hormis un changement de période de base et de coefficients de pondération, le passage de l'année de base 1976 à l'année 1986 n'a entraîné aucune modification des concepts. De 1965 à 1976, les séries correspondantes étaient les indices des prix de gros (base: 1964=100).

Définitions

L'indice couvre les produits d'origine nationale et les produits importés vendus par les grossistes.

Les prix sont relevés exclusivement au niveau des ventes des grossistes. Ce sont les prix de vente effectifs, nets de remises, des produits destinés à la livraison immédiate. Ils ne tiennent pas compte de la taxe sur la valeur ajoutée introduite en janvier 1973 ; avant cette date, les prix tenaient compte de la taxe sur le chiffre d'affaires.

Classification utilisée

Classification principale : par branche d'activité.

Autre clarification : par fonction et disponibilité saisonnière des produits.

Relevé des prix

Enquête volontaire adressée par l'Österreichisches Statistisches Zentralamt à 385 grossistes, couvrant 362 produits. Les réponses sont données par courrier. Tous les prix sont relevés mensuellement et se rapportent au 15 du mois.

Élaboration des coefficients de pondération et techniques de calcul de l'indice

Les coefficients de pondération des groupes de produits sont calculés à partir du Recensement de 1983 du commerce de gros et des résultats de l'enquête de 1985 sur les commerces de gros et de détail. L'indice des prix de gros est un indice de Laspeyres. Le calcul est basé sur la méthode des prix relatifs.

Révision des données et désaisonnalisation

L'indice est révisé pour tenir compte des réponses tardives.

Référence

Österreichisches Statistisches Zentralamt, Vienne : *Index der Grosshandelspreise,* Révision 1986 (janvier 1987).

Indice des prix à la production industrielle

Ministère des Affaires Économiques, Bruxelles : *Statistiques industrielles.*

Informations générales

La période de base pour l'indice et pour les coefficients de pondération est 1980. La série publiée sous le titre « Indices des prix à la production (industries manufacturières) » dans les *Principaux indicateurs économiques* est l'indice des prix à la production des produits manufacturés, qui fait partie des indices des prix à la production industrielle.

Il existe aussi deux indices complémentaires : l'indice des prix à la production agricole (calculé par le Ministre de l'Agriculture) et un indice de valeurs unitaires pour les produits importés (calculé par la Banque Nationale de Belgique).

Définitions

L'indice couvre la production nationale dans les industries dans les classes 11 à 49 de la classification NACE. L'indice est basé sur les prix nets payés au producteur vers le quinze du mois pendant la première phase de la commercialisation sur le marché intérieur. Les prix ne comprennent ni la taxe sur la valeur ajoutée ni les déductions pour remises éventuelles, à l'exception de la remise pour paiement comptant.

Classification utilisée

Les produits sont classés en produits industriels selon les définitions du code NIPRO, ce qui consiste en un numéro de code à 8 chiffres. Les cinq premiers chiffres du code NIPRO donnent le code NACE.

Relevé des prix

Enquêtes volontaires adressées par le Ministère des Affaires Économiques à des entreprises industrielles et des vendeurs. La sélection des unités enquêtées n'est pas opérée par sondage aléatoire mais par un choix raisonné. Tous les prix sont relevés mensuellement à une date fixe, autour du quinzième jour du mois. Tous les produits choisis doivent être représentatifs d'un groupe plus important de produits ou avoir fait preuve de longévité sur le marché.

Élaboration des coefficients de pondération et techniques de calcul de l'indice

L'importance relative des produits retenus pour le calcul de l'indice a été évaluée à l'aide des sources utilisées pour la sélection des échantillons.

La pondération a été établie sur base de renseignements émanant de l'institut national de statistique au stade du produit élémentaire.

Référence

Ministère des Affaires Économiques, Bruxelles : *L'Indice des prix à la production industrielle* (1991).

Prisindeks for industri i alt, ekskl. skibværfter
(Indice des prix relatifs aux ventes des industries manufacturières, à l'exclusion des chantiers navals, etc.)

Danmarks Statistik, Copenhague : *Statistikservice : Månedlig ordre– og omsætningsstatistik for industri.*

Informations générales

L'année de référence actuelle pour l'indice et pour les coefficients de pondération est 1985. Les indices précédents basés respectivement sur 1980 et sur 1975 ont été raccordés aux nouveaux indices afin de constituer des séries rétrospectives. Un nouvel indice basé sur l'année 1990 devrait être introduit en 1994.

Définitions

Les produits fabriqués au Danemark et vendus sur le marché intérieur (les exportations et les importations sont exclues).

Les prix sont départ-usine et excluent la TVA et les droits d'accises. Les remises ou rabais quelconques ne sont pas pris en compte.

Classification utilisée

La classification par produit est la NCCD (Nomenclature du Conseil de Coopération Douanière) qui s'appelait auparavant la Nomenclature douanière de Bruxelles (Classification Type pour le Commerce International jusqu'en décembre 1970).

Relevé des prix

Enquête postale adressée par Danmarks Statistik. Les prix se rapportent au 25 du mois ou au jour ouvrable le plus proche.

Élaboration des coefficients de pondération et techniques de calcul de l'indice

L'indice des prix relatifs aux ventes des industries manufacturières, à l'exclusion des chantiers navals, etc. est calculé à partir d'environ 1 300 indices élémentaires de prix de gros (convertis de la base 100 en 1980 à la base 100 en 1985) et de statistiques trimestrielles des ventes de produits manufacturés. Les indices des produits sont agrégés à l'aide de pondérations proportionnelles à la valeur des chiffres d'affaires 1985.

Référence

Danmarks Statistik, Copenhague : *Statistikservice : Månedlig ordre– og omsætningsstatistik for industri.*

Indice Precios Industriales
(Indice des prix industriels)

Instituto Nacional de Estadística, Madrid : *Boletin Mensuel de Estadística.*

Informations générales

La période de base pour l'indice et pour les coefficients de pondération est 1990.

Définitions

L'indice des prix industriels couvre les ventes de produits fabriqués et vendus à l'intérieur du pays. Les ventes entre entreprises d'un même secteur et à des entreprises d'un autre secteur sont incluses. Les exportations et les importations sont exclues.

Les prix mesurés sont « sortie d'usine » et excluent le coût du transport et les taxes.

Classification utilisée

Les séries sont classifiées selon deux critères :

- Activité, suivant la Classification nationale de l'activité économique.

- Destination économique, suivant la classification d'EUROSTAT (biens intermédiaires, biens de consommation, biens d'équipement)

Relevé des prix

Les indices sont établis à partir des données obtenues dans le cadre d'une enquête mensuelle continue adressée aux entreprises employant plus de 20 personnes. Cette enquête auprès de plus de 6 000 entreprises est réalisée par correspondance et par interrogation directe. Les prix sont relevés le 15 du mois et ne sont pas des prix moyens ni des prix unitaires. Le taux de réponse est d'environ 85 pour cent.

Élaboration des coefficients de pondération et techniques de calcul de l'indice

Les IPI sont calculés par la méthode de Laspeyres à l'aide du système de pondérations fixes de 1990. Les coefficients de pondération sont fonction de l'importance de la branche d'activité et des produits en 1990, évaluée à partir des résultats de l'Enquête auprès de l'industrie de 1990 :

- Au niveau de la branche d'activité, calculé à partir de la valeur des ventes.

- Au niveau du produit, calculé à partir du coût de production.

Révision des données et désaisonnalisation

Les indices publiés initialement sont provisoires et peuvent être révisés ultérieurement.

Référence

Instituto Nacional de Estadística, Madrid : *Indice Precios Industriales,* Année de référence 1990.

Teollisuuden tuottajahintaindeksi
(Indice des prix à la production des produits manufacturés)

Statistics Finland, Helsinki : *Tuottajahintaindeksit.*

Informations générales

L'année de référence actuelle pour l'indice et pour les coefficients de pondération est 1990. Les indices précédents ayant pour année de référence 1949, 1975, 1980 et 1985 ont été raccordés aux indices actuels pour former des séries rétrospectives. Les indices des prix à la production basés sur l'année de référence 1990=100 ont été introduits en 1993 et établis selon la classification industrielle révisée basée sur la NACE rev. 1.

Définitions

Les produits sont les produits manufacturés d'origine finlandaise, vendus sur le marché intérieur ou exportés. Ils comprennent les groupes de produits suivants : produits minéraux, produits manufacturés, électricité, gaz, chauffage et eau.

Les prix indiqués par les producteurs sont les prix qui leur ont été payés effectivement à l'exclusion des impôts indirects et y compris les subventions ; ceux qui sont indiqués par les exportateurs sont les prix à l'exportation. Les prix sont observés au premier stade de commercialisation par les producteurs ou à l'exportation.

Classification utilisée

Classification principale : par produit, suivant la NACE rev. 1.

Autre classification : par utilisation prévue, (matières premières et biens intermédiaires, biens de consommation et biens d'équipement) et par zone de commercialisation (marché intérieur/marchés d'exportation).

Relevé des prix

Enquête volontaire adressée par Statistics Finland. Les prix sont relevés pour 1 333 produits sélectionnés en consultation avec les fabricants. Les prix sont demandés en moyenne un mois sur deux, mais ceux des produits de première nécessité, ayant un coefficient de pondération important, sont relevés chaque mois. La plupart des prix se rapportent au 15 du mois.

Élaboration des coefficients de pondération et techniques de calcul de l'indice

Les coefficients de pondération sont calculés à partir de statistiques industrielles, complétées par les comptes nationaux et les statistiques du commerce extérieur.

Référence

Jarmo Ranki and Anne Forss; Statistics Finland, Helsinki: *Producer Price Indices 1990=100, Handbook for Indices Users,* juin 1993.

Indice de prix de vente industriels (hors TVA)
Ensemble des industries autres qu'agricoles et alimentaires — Biens intermédiaires

Institut National de la Statistique et des Études Économiques (INSEE), Paris : *Bulletin mensuel de statistique.*

Informations générales

L'indice des prix de vente industriels relatif aux biens intermédiaires fait partie d'un ensemble plus vaste qui comprend les indices relatifs aux industries agro-alimentaires, à l'énergie, et partiellement, aux industries des biens d'équipement et des biens de consommation. L'année de référence actuelle pour la base et pour les pondérations de l'indice est 1985. De nouveaux indices seront publiés en 1994 sur la base 100 en 1990. Des séries rétrospectives sont disponibles à partir de 1980.

Définitions

Les produits sont ceux fabriqués en France et vendus sur le marché intérieur (les exportations et les importations sont exclues). Les prix ne comprennent pas la TVA mais incluent certaines taxes spécifiques.

Classification utilisée

Les indices par produit sont combinés suivant la classification française des produits : Nomenclatures d'Activités et de Produits (1973) (NAP U04).

Relevé des prix

Le relevé des prix est effectué par des visites d'enquêteurs et par courrier. Les prix de la plupart des biens intermédiaires sont relevés tous les mois, bien que l'indice soit publié tous les trimestres. Un indice mensuel pour les biens intermédiaires remplacera l'indice trimestriel actuel en 1994. Les prix se rapportent soit à la fin de la période, soit sont des moyennes mensuelles ou trimestrielles.

Élaboration des coefficients de pondération et techniques de calcul de l'indice

Les coefficients de pondération des indices des branches tiennent compte de la valeur des ventes sur le marché intérieur en 1985. Une révision est prévue pour 1994.

Révision des données et désaisonnalisation

Les indices mensuels (une fois publiés) sont provisoires pour six mois et les indices trimestriels pour deux trimestres. Il n'y a pas de désaisonnalisation.

Référence

Institut National de la Statistique et des Études Économiques, Direction Générale, Département des Répertoires et Statistiques d'Entreprises, Paris : *Prix de vente industriels*, N° 1946/E140, octobre 1990.

Indice des prix de gros des produits finis — Indice général de la demande finale

Service National de Statistique de Grèce, Athènes : *Bulletin de statistique*.

Informations générales

L'année de base actuelle pour l'indice et pour les coefficients de pondération est 1980. L'année de base précédente était 1970. Il a été calculé une série basée sur les coefficients de pondération de 1952 mais cette série n'est pas comparable avec la série actuelle du fait que l'indice basé sur 1952 se rapportait au commerce de gros en général alors que la série actuelle est établie dans l'optique des flux économiques. Un nouvel indice base 1990 est actuellement en cours de préparation.

Définitions

Les produits couverts par l'indice sont les produits finis d'origine nationale quittant les secteurs productifs pour être vendus sur le marché intérieur, les produits importés (à l'exclusion des matières premières) et les produits nationaux exportés (y compris les matières premières). La production nationale comprend la production de l'agriculture, de la pêche, des industries minières et des industries manufacturières.

Les prix relevés sont ceux des produits destinés à livraison immédiate et pour lesquels les transactions s'effectuent dans les quantités et conditions de paiement les plus habituelles pour l'entreprise couverte par l'enquête. Sur le marché intérieur, les prix des produits d'origine nationale sont les prix de vente effectifs, f.a.b. « Départ-usine », nets de remises, d'impôts et de tous droits supplémentaires payés à des tiers. Pour les produits importés, les prix sont c.a.f. hors droits de douane et taxes locales. Pour les exportations, les prix sont f.a.b., y compris les taxes payables jusqu'au chargement.

Classification utilisée

Pour les produits industriels, la Grèce utilise la classification NIPRO de la CE.

Pour les produits agricoles, elle utilise une classification harmonisée avec celle de la CE.

Relevé des prix

Enquête par courrier et visites d'agents du Service National de Statistique de Grèce auprès des producteurs. 3 150 prix sont relevés chaque mois pour 906 produits auprès d'un grand nombre d'entreprises. Les transactions couvertes pour les produits intérieurs sont les ventes des entreprises industrielles, des exportateurs et des grossistes approvisionnant les marchés agricoles. Pour les produits importés, il s'agit des achats des importateurs.

Élaboration des coefficients de pondération et techniques de calcul de l'indice

Les indices des produits sont agrégés à l'aide de coefficients de pondération proportionnels à la valeur des ventes d'un secteur producteur à un secteur consommateur au cours de la période de base (1980). Des coefficients de pondération sont calculés pour les produits représentés dans l'indice. Les données nécessaires pour calculer les coefficients de pondération sont fournies essentiellement par les ministères de l'agriculture et de l'industrie et à l'aide des statistiques du commerce extérieur collectées par le Service National de Statistique de Grèce. Pour les quantités de produits agricoles, on a utilisé les moyennes des totaux annuels de 1979–1980.

Référence

Service National de Statistique de Grèce, Athènes : *Indices révisés des prix de gros* (1980=100), 1988.

Wholesale Price Index
(Indices de prix de gros)

Central Statistics Office, Cork : *Statistical Bulletin.*

Informations générales

L'année de base actuelle pour l'indice et pour les coefficients de pondération est 1985. La série a été raccordée aux indices calculés sur la base 1980 afin de former des séries continues à partir de 1980. La série publiée sous le titre « Indices des prix à la production (industries manufacturières) » dans les *Principaux indicateurs économiques* est « Indice des prix de gros (TVA exclue) — Indice des prix à la production des industries manufacturières ». Cette série est calculée à partir d'indices des prix à la production industrielle.

Définitions

Les indices des prix à la production industrielle font partie d'un système d'indices de prix qui comprend un indice général des prix de gros (reflétant les variations globales des niveaux de prix des produits industriels, des produits agricoles et des importations), ainsi que des indices de prix de gros séparés pour les matériaux de construction, les biens d'équipement et les produits énergétiques achetés par l'industrie manufacturière.

Les indices des prix à la production industrielle se rapportent à la production totale des établissements industriels destinée à la vente intérieure et à l'exportation. La série publiée aux *Principaux indicateurs économiques* (mentionnée ci-dessus) est calculée sur une base dite « sectorielle nette », c'est-à-dire que les pondérations utilisées pour agréger les indices relatifs aux différents secteurs excluent les ventes de chaque secteur à l'ensemble des secteurs des industries manufacturières. Les prix indiqués sont les prix effectifs des transactions observés le 15 du mois ou le jour ouvrable le plus proche. Ils sont f.a.b. au point de production et ne tiennent pas compte des impôts indirects mais comprennent les droits d'accise. Ils sont nets de subventions.

Classification utilisée

Les prix à la production sont classifiés selon la NACE, la Nomenclature générale des activités économiques dans les Communautés Européennes. Une classification par grands secteurs est aussi disponible.

Relevé des prix

Les prix observés pour le système d'indices de prix sont collectés au moyen d'une enquête volontaire par courrier adressée par le Central Statistics Office à quelque 900 entreprises pour un total de 5 500 prix.

Élaboration des coefficients de pondération et techniques de calcul des indices

Les indices des produits sont agrégés à l'aide de coefficients de pondération proportionnels aux valeurs de base de la production brute tirées du Recensement de la production industrielle de 1985. Les indices de prix sectoriels basés sur les codes à 2 et 3 chiffres de la NACE sont ensuite agrégés à l'aide de pondérations de la production nette afin d'établir des indices pour des agrégats plus larges tels que l'ensemble des industries manufacturières. La production sectorielle nette (c'est-à-dire la production dont sont exclues les ventes entre les divers secteurs de l'industrie manufacturière) est déterminée à l'aide des tableaux d'entrées-sorties de 1985.

Révision des données et désaisonnalisation

Les indices publiés pour la première fois peuvent être révisés ultérieurement. Il n'y a pas de désaisonnalisation.

Référence

Central Statistics Office, Dublin: *Wholesale Price Index — Introduction of Updated Series Base Year 1985 as 100,* October 1989.

Numeri indici dei prezzi alla produzione dei prodotti industriali (Indice des prix à la production)

Istituto Nazionale di Statistica, Rome : *Bollettino Mensile di Statistica.*

Informations générales

L'indice actuel est basé sur l'année 1990. Les coefficients de pondération résultent des Comptes nationaux.

Définitions

L'IPP couvre les produits vendus à leur première entrée sur le marché intérieur.

Classification utilisée

Par produit (1 106), suivant la Nomenclature Commune des Produits Industriels.

Par groupe (110) et par branche (23) suivant les classes entrées/sorties de la Classification générale des activités économiques de la CEE. Par ailleurs, l'indice est fourni sous la forme de biens de consommations, biens d'équipement et biens intermédiaires.

Relevé des prix

Les prix sont relevés auprès d'un échantillon d'entreprises industrielles au moyen d'une enquête par correspondance. Ils sont relevés mensuellement et se rapportent au milieu du mois. Les prix ne comprennent pas le transport ni la TVA, les autres taxes sont comprises.

Élaboration des coefficients de pondération et techniques de calcul de l'indice

1 106 indices par produit sont établis sous forme de moyennes arithmétiques simples de 11 600 indices individuels fournis par les établissements couverts par l'enquête. Les agrégations suivantes, au niveau du groupe, de la branche et du total sont établies à l'aide de la formule de Laspeyres — la pondération utilisée au cours de la première étape (c'est-à-dire pour les indices par groupe) résultant de la valeur de la production, tandis que les agrégations aux niveaux supérieurs sont effectuées à l'aide de pondérations résultant des ventes sur le marché intérieur.

Révision des données et désaisonnalisation

Les données ne sont pas révisées. Il n'y a pas de désaisonnalisation.

Références

Istituto Nazionale di Statistica, Rome : *Bollettino Mensile di Statistica.*

Istituto Nazionale di Statistica, Rome : *Numeri indici dei prezzi alla produzione dei prodotti industriali, base 1980=100. Metodi e norme — Serie A, N° 26,* édition 1990.

L'indice des prix à la production des produits industriels

Service Central de la Statistique et des Études Économiques, Luxembourg : *Indicateur Rapide Série A3.*

Informations générales

La période de référence pour l'indice et pour les coefficients de pondération est 1985. La pondération résulte de l'enquête de 1983 sur la « valeur ajoutée dans l'industrie », mise à jour en 1985 à l'aide des différents questionnaires disponibles de l'enquête correspondante de 1985, des informations tirées de l'enquête mensuelle de 1985 sur l'activité industrielle, etc.

Définitions

L'IPP couvre les produits vendus sur les marchés intérieur et d'exportation par les industries des divisions 2 à 4 de la NACE de la CE, à l'exclusion des branches de l'artisanat et des producteurs et distributeurs d'électricité et de gaz.

Les prix sont ceux des transaction « Départ-usine » (c'est-à-dire au point de la première entrée sur le marché) et comprennent les taxes nettes (à l'exception de la TVA), les autres taxes et les subventions. Les réductions sur les « ventes » sont aussi prises en compte.

Classification utilisée

Classification principale : par produit et par groupe de produits, suivant la classification des produits industriels de la CE.

Autres classifications :

Biens de consommation, biens d'équipement et biens intermédiaires ;

Produits destinés au marché intérieur et produits destinés à l'exportation.

Relevé des prix

115 établissements fournissent des indications de prix permettant le calcul de 1 480 indices par produit. Les produits sont choisis en collaboration avec les établissements intéressés en fonction de l'importance globale des produits ou de leur représentativité pour un groupe de produits.

Élaboration des coefficients de pondération et techniques de calcul de l'indice

Pour les coefficients de pondération : voir « Informations générales ». Les indices par groupe et l'indice total sont établis à l'aide de la formule de Laspeyres et sont des moyennes arithmétiques pondérées des indices (par produit) élémentaires.

Référence

Service Central de la Statistique et des Études Économiques : *Bulletin du Statec, Vol. XXXIV,* N° 2/1988 (8 numéros par an).

Produsentprisindeks
(Indices des prix à la production)

Statistik Sentralbyra, Oslo : *Statitisk Månedshefte.*

Informations générales

Les séries sont basées sur 1981=100. Les coefficients de pondération sont basés sur la valeur brute de la production intérieure et sont calculés à partir des Comptes nationaux de 1979.

Définitions

L'IPP couvre les produits des groupes suivants : industries minières et extractives, industries manufacturières et production d'électricité.

Les prix sont ceux des produits des industries nationales vendus sur les marchés intérieur et d'exportation, à l'exclusion des navires et des plates-formes de forage pétrolier. Les prix sont f.a.b. au point de production, hors taxe sur la valeur ajoutée.

Classification utilisée

Par produit, suivant la Classification industrielle type de Norvège, qui est la version norvégienne de la CITI de 1968.

Relevé des prix

Enquête volontaire par correspondance adressée par le Statistisk Sentralbyra.

Tous les prix sont relevés mensuellement et se rapportent au 15 du mois.

Élaboration des coefficients de pondération et techniques de calcul de l'indice

Les indices par produit sont agrégés à l'aide de coefficients de pondération proportionnels à la valeur brute de la production intérieure calculée à partir des Comptes nationaux de 1979.

Référence

Statistisk Sentralbyra, Oslo : *Rapporter 82/29,* 1982.

Indexcijfers producentenpryzen
(Indice des prix à la production)

Centraal Bureau voor de Statistiek, Voorburg/Heerlen :
Maandstatistiek van de Prijzen.

Informations générales

L'année de référence actuelle pour l'indice et pour les coefficients de pondération est 1985. La série actuelle a été raccordée à celles établies sur les bases 1980 et 1975 afin de former des séries rétrospectives. Un nouvel indice basé en 1990 devrait être introduit en 1994. La série publiée sous le titre « Indices des prix à la production (industries manufacturières) » dans les *Principaux indicateurs économiques* est « Indice des prix à la production — production des industries manufacturières ».

Définitions

Les indices des prix à la production font partie d'un système d'indices de prix qui sont publiés par le Bureau central de statistiques des Pays-Bas (Centraal Bureau voor de Statistiek). Les secteurs couverts sont les industries minières et extractives, les industries manufacturières (à l'exclusion des entreprises d'édition, des aéronefs et des navires) et les services d'utilité publique. Les importations sont prises en compte. Les transactions couvertes sont les ventes intérieures des producteurs à d'autres producteurs, aux grossistes, aux détaillants ou aux exportateurs.

Les prix sont les prix de vente effectifs, généralement f.a.b. au point de production. Ils ne comprennent pas la taxe sur la valeur ajoutée mais ils tiennent compte des droits diminués des subventions. Les prix à l'importation sont généralement c.a.f.

Classification utilisée

Les produits sont classifiés suivant la Nomenclature néerlandaise type des produits (SGN), dont les trois premiers chiffres correspondent aux codes à trois chiffres de la SIC de 1974.

Relevé des prix

Enquête par correspondance adressée par le Centraal Bureau voor de Statistiek. La plupart des prix sont relevés mensuellement. Quelque 40 000 prix sont relevés à intervalles fréquents pour le système d'indices de prix.

Élaboration des coefficients de pondération et techniques de calcul de l'indice

Les indices par produit sont agrégés à l'aide de coefficients de pondération proportionnels à la valeur, en 1985, des ventes intérieures et des achats à l'étranger par les producteurs, et les importations calculées à partir des tableaux d'entrées-sorties de 1985.

Révision des données et désaisonnalisation

Les indices publiées pour la première fois demeurent provisoires durant cinq mois. Il n'y a pas de désaisonnalisation.

Référence

Centraal Bureau voor de Statistiek, Voorburg/Heerlen: *Producentenprijsindexcijfers, 1985=100, Maandstatistiek van de Prijzen,* janvier 1990.

Index Numbers of Producer Prices: Output of Manufactured Products
(Indices des prix à la production : produits manufacturés)

Central Statistical Office (CSO), Londres : *Monthly Digest of Statistics.*

Informations générales

L'indice des prix à la production est basé sur 1989 avec 1990=100 comme année de référence. Les coefficients de pondération sont déterminés à l'aide des chiffres annuels agrégés (se rapportant principalement à 1989 mais recalés sur l'année de référence) recueillis par le CSO dans le cadre de ses enquêtes sur les ventes des industries manufacturières. Des séries rétrospectives sont disponibles.

Définitions

Les produits inclus dans l'indice sont ceux des industries manufacturières nationales qui sont vendus sur le marché intérieur.

Les prix sont « Départ-usine », hors TVA. Il est tenu compte des remises. Les droits d'accise (qui sont prélevés sur les cigarettes, les tabacs manufacturés et les spiritueux) sont compris.

Classification utilisée

Jusqu'en août 1993 les industries étaient définies selon la Standard Industrial Classification (SIC) de 1980 du Royaume-Uni. Depuis août 1993, les indices composites sont groupés sur les bases de la SIC de 1980 et la SIC de 1992. Les séries seront publiées sur les deux bases jusqu'en automne 1995 quand la SIC de 1992 deviendra la classification standard. Les agrégations sur la base de la SIC de 1980 ne seront plus publiées après cette date.

Relevé des prix

Les prix sont relevés en général dans le cadre d'une enquête obligatoire par correspondance menée par le CSO principalement auprès des producteurs. Les prix d'environ 11 500 produits sont relevés auprès de quelque 3 500 producteurs chaque mois. Certains prix sont aussi fournis par le Ministère de l'agriculture, des pêcheries et de l'alimentation, le Département du commerce et de l'industrie et par d'autres organismes.

Les prix représentent la moyenne mensuelle. Par conséquent, une hausse de prix intervenant en milieu de mois apparaîtra pour moitié dans le mois en cours et pour moitié dans le mois suivant.

Élaboration des coefficients de pondération et techniques de calcul de l'indice

Les indices par produit sont agrégés à l'aide de coefficients de pondération proportionnels à la valeur des ventes de la période de base (1989) donnée par l'enquête annuelle sur les ventes des industries manufacturières. La source des coefficients de pondération à partir de 1994 sera PRODCOM, l'enquête des statistiques des produits dirigée par le CSO. Ces valeurs sont nettes des transactions effectuées à l'intérieur de chaque secteur.

Révision des données et désaisonnalisation

Les indices publiés initialement comprennent des estimations en cas d'absence de réponse et ils peuvent être révisés à la réception des réponses manquantes. Par conséquent, les deux observations les plus récentes sont provisoires. L'IPP n'est pas désaisonnalisé, en raison principalement de la difficulté de tenir compte des effets des variations irrégulières des taxes sur les boissons et tabacs.

Références

Central Statistical Office, Londres : *Producer Price Indices — Present Practice, Future Developments and International Comparisons,* Economic Trends, juillet 1992.

Central Statistical Office, Londres : *Wholesale price index, Principles and procedures ; Studies in Official Statistics* N° 32, 1980.

Producentprisindex Industriprodukter tillverkade
(Indice des prix à la production des produits manufacturés)

Statistiska Centralbyran, Stockholm : *Statistiska Meddelanden (Series P)*.

Informations générales

L'indice actuel a pour année de référence 1968.

Définitions

L'indice des prix à la production des produits manufacturés couvre la production intérieure des industries manufacturières destinée à la vente sur le marché intérieur et à l'exportation et il fait partie du système d'indices de prix qui comprend: l'indice des prix à l'exportation, l'indice des prix à l'importation, l'indice des prix à la production pour les ventes intérieures (c'est-à-dire l'IPP hors exportations) et l'indice des prix de la production intérieure.

Les prix des produits d'origine nationale sont observés au premier stade de la commercialisation en Suède, c'est-à-dire au stade des ventes des producteurs à d'autres producteurs, à des grossistes ou à d'autres grands consommateurs. Les prix sont f.a.b. au point de production, hors droits d'accise, taxe sur la valeur ajoutée et autres impôts indirects. Les remises ne sont pas prises en compte sauf celles qui sont accordées pour paiement rapide.

Classification utilisée

Les indices sont classifiés selon la Classification suédoise type des activités économiques (SNI) de 1968, qui correspond à la Classification internationale type, par industrie, de toutes les branches d'activité économique (CITI) au niveau des classes (codes à 4 chiffres).

Relevé des prix

Enquête obligatoire par correspondance adressée par le Statistiska Centralbyran.

Élaboration des coefficients de pondération et techniques de calcul de l'indice

Les sources utilisées pour les coefficients de pondération dans le système d'IPP sont les statistiques industrielles et du commerce extérieur établies par le Statistiska Centralbyran. Les coefficients de pondération changent une fois par an.

Révision des données et désaisonnalisation

Les indices publiés initialement peuvent être révisés pour tenir compte des réponses tardives. Il n'y a pas de désaisonnalisation.

Référence

Statistiska Centralbyran, Stockholm : *Statistiska Meddelanden, Series P,* N° 26, 1973.

Indice des prix de l'offre totale

Office Fédéral de la Statistique, Berne : *L'indice des prix à la production.*

Informations générales

L'ancien « Indice des prix de gros », qui avait pour année de référence 1963, a été remplacé en juin 1993 par deux indices basés sur mai 1993=100, un indice des prix à la production et un indice complémentaire des prix à l'importation. La série publiée sous le titre « Indices des prix à la production (industries manufacturières) » dans les *Principaux indicateurs économiques* correspond à l'agrégation de ces deux indices. Le résultat a été nommé « Indice des prix de l'offre totale ».

Définitions

L'indice des prix à la production couvre les secteurs agricole et industriel. Les secteurs de la construction et des services en sont exclus. L'indice se rapporte aux biens produits et vendus sur le marché intérieur ou exportés par des entreprises opérant en Suisse, et il couvre les produits primaires, les produits semi-finis et les produits finis. Les prix sont mesurés au premier stade de la commercialisation du produit, f.o.b. au départ de l'usine ou de l'exploitation agricole et nets de remises, sans impôts sur le chiffre d'affaire (ICHA).

Les produits importés entrant dans l'indice des prix à l'importation sont évalués au prix c.a.f. augmenté des droits de douane. Cet indice a une couverture plus étroite que l'indice des prix à la production, et il ne couvre qu'un nombre limité de groupes de produits.

Classification utilisée

La classification principale est la classification par produit, d'après la révision 1 de la NACE.

Sont aussi utilisées les classifications par utilisation et par stade de transformation d'un côté, et par destination (marché national, exportation) de l'autre côté.

Relevé des prix

Pour l'indice des prix à la production, quelque 10 000 prix sont relevés périodiquement auprès d'environ 2 000 sources ; la plupart de ces sources sont les producteurs des biens en question, mais certaines données sont fournies par des associations professionnelles et par d'autres organismes. La collecte des données se fait essentiellement au moyen d'un questionnaire envoyé par courrier.

Les prix sont relevés dans les huit premiers jours du mois. Cependant, seuls les produits dont le prix varie à court terme sont évalués mensuellement. Pour les autres produits, les prix sont relevés tous les trois ou six mois.

Élaboration des coefficients de pondération et techniques de calcul de l'indice

L'indice des prix à la production et l'indice des prix à l'importation sont tous deux des indices de Laspeyres. Ils sont établis à l'aide d'indices élémentaires, sauf pour l'agriculture et la sylviculture où l'on utilise la méthode des prix moyens.

Les coefficients de pondération des groupes principaux sont basés sur les chiffres des comptes nationaux de 1990 relatifs à la valeur brute de la production. La pondération au niveau des sous-groupes et des indices détaillés repose, quant à elle, principalement sur des informations fournies par les associations professionelles.

Références

Office Fédéral de la Statistique, Berne : *Concept de détail du nouvel indice des prix à la production,* 1992.

Office Fédéral de la Statistique, Berne : *Le nouvel indice des prix à la production et son complément, l'indice des prix à l'importation, succéderont à l'actuel indice des prix de gros : Aperçu des méthodes,* mars 1993.

Toptan Eşya Fiyatları İndeksi
(Indice des prix de gros)

Institut National de Statistique, Ankara : *Monthly Bulletin of Statistics.*

Informations générales

L'indice des prix à la production a pour année de référence 1987=100. L'année de référence précédente était 1981 ; les coefficients de pondération des principaux secteurs établis sur cette base ont été révisés pour 1987 en 1989. Des séries rétrospectives sont disponibles.

Définitions

Les produits sont les produits manufacturés fabriqués en Turquie et vendus sur le marché intérieur. Les secteurs couverts sont les suivants : agriculture, industries minières et extractives, industries manufacturières et secteur de l'énergie.

Les prix indiqués par les producteurs comprennent la taxe sur la valeur ajoutée et sont les prix départ usine, paiement comptant. Les remises spéciales ne sont pas prises en compte.

Classification utilisée

L'indice des prix de gros suit la CITI Rév. 2.

Relevé des prix

Les prix sont relevés dans le cadre d'enquêtes par correspondance adressées à certaines entreprises. 4 340 prix sont relevés auprès d'environ 1 648 entreprises chaque mois.

Élaboration des coefficients de pondération et techniques de calcul de l'indice

Les indices par produit sont agrégés à l'aide des coefficients de pondération basés sur la valeur de 1987.

Référence

Institut National de Statistique, Ankara : *Wholesale and Consumer Price Indexes Monthly Bulletin*, édition de janvier 1991.

QUATRIÈME PARTIE

Méthodologie utilisée par l'OCDE pour les agrégations par zone

Quatre agrégations par zone sont établies et publiées dans le cadre de la série régulière des IPP dans la publication mensuelle *Principaux indicateurs économiques*. Ces zones sont les suivantes :

OCDE-Total

Sept grands pays

OCDE-Europe

CE.

Dans le cadre de l'examen de la méthode d'agrégation à employer, il a été décidé que la pondération la plus appropriée devait être basée sur le produit intérieur brut et la parité de pouvoir d'achat de l'année précédente pour chaque pays Membre.

La conversion du PIB en monnaie commune s'effectue à l'aide des « Parités de pouvoir d'achat » (PPA). Ces parités sont les taux de conversion monétaire qui égalisent le pouvoir d'achat des différentes monnaies. Cela signifie, pour l'essentiel, qu'une somme donnée d'argent, convertie en différentes monnaies aux taux des PPA, permettra d'acheter le même panier de biens et de services dans toutes les monnaies. En d'autres termes, les PPA sont les taux de conversion monétaire qui effacent les différences de prix entre les pays. Ainsi, lorsque les dépenses sur le PIB pour différents pays sont converties en une monnaie commune à l'aide des PPA, elle sont en fait exprimées aux mêmes prix internationaux, de sorte que la comparaison entre les pays reflète uniquement les différences dans le volume de biens et de services achetés.

Il est nécessaire de réviser les pondérations, et ce pour deux raisons. Premièrement, les pays révisent continuellement leurs Comptes nationaux lorsque des données supplémentaires sont disponibles. Deuxièmement, les PPA de référence sont calculées à partir des résultats des enquêtes réalisées à intervalles de cinq ans, tandis que les PPA pour les autres années que les années de référence sont des estimations[1]. Pour obtenir les PPA pour une nouvelle année de référence, il faut normalement réviser les estimations faites pour les années précédentes, c'est-à-dire que les estimations qui étaient à l'origine des extrapolations sont souvents révisées dans le cadre d'un processus d'interpolation. Cependant, les révisions, qu'elles résultent de la modification des PPA ou de la mise à jour des Comptes nationaux, ne sont introduites qu'au moment de l'incorporation annuelle des coefficients de pondération.

L'incorporation des coefficients de pondération dans les calculs des indices par zone suit un processus par étapes qui est détéminé par la disponibilité des chiffres des Comptes nationaux. Normalement, les chiffres provisoires des Comptes nationaux pour l'ensemble des pays de l'OCDE sont disponibles environ quinze mois après l'année de référence. Ainsi, les coefficients de pondération de 1990 sont calculés en mars 1992 et servent pour le calcul des indices par zone pour 1991 (et initialement pour 1992). En mars 1993, on peut calculer les coefficients de pondération de 1991 et les appliquer aux données de 1992 (et initialement à celles de 1993) et ainsi de suite.

Par conséquent, le coefficient de pondération pour un pays donné dans une zone donnée s'applique, en fait, pour une seule année et l'IPP par zone qui en résulte devient un indice-chaîne de séries annuelles liées. Chaque année, l'indice des prix à la production pour chaque pays est fixé à 100 pour le mois de décembre de l'année précédente, les indices mensuels pour la (les) zone(s), de janvier à décembre de l'année en cours, étant calculés comme des moyennes pondérées à l'aide des coefficients de pondération par pays de l'année précédente (voir plus haut). Étant donné que le mois de décembre précédent est fixé à 100, les coefficients de pondération s'appliquent en fait non pas au niveau de l'indice lui-même mais, et c'est essentiel, au taux de variation de l'indice.

On trouvera ci-après, à titre d'explication, un exemple arithmétique simple de calcul par zone (et de la détermination des coefficients de pondération).

---

[1] Ces estimations sont établies à partir des PPA de référence disponibles, modifiées par le taux d'inflation pour chaque pays par rapport à celui des États-Unis, du fait que les chiffres convertis à l'aide des PPA sont présentés en dollars des États-Unis, convention qui n'a pas d'effet sur les comparaisons internationales.

A. Élaboration des coefficients de pondération

		PPA	x	PIB (monnaie nationale)	=	Monnaie commune	Coefficient de pondération en pourcentage
1990	Pays 1	1	x	92	=	92	92 %
	Pays 2	0.80	x	10	=	8	8 %
						100	100 %
1991	Pays 1	1	x	100	=	100	91 %
	Pays 2	0.91	x	11	=	10	9 %
						110	100 %

B. Indices des prix à la production par pays

		Pays 1 : Indice de décembre fixé à 100	Pays 2 : Indice de décembre fixé à 100
1990	Déc	100	100
1991	Jan	101	102
	Déc	112 = 100	124 = 100
1992	Jan	113 = 100.89	126 = 101.61
	Déc	124 = 110.71	148 = 119.35

C. Calcul par zone

		Pays 1	Pays 2		Séries dérivées
1990	Déc				100
1991	Jan	(101 x 0.92) +	(102 x 0.08) =	101.08	101.08
	Déc	(112 x 0.92) +	(124 x 0.08) =	112.96	112.96
1992	Jan	(100.89 x 0.91) +	(101.61 x 0.09) =	$100.955 \times \frac{112.96}{100} =$	114.04
	Déc	(110.71 x 0.91) +	(119.35 x 0.09) =	$111.488 \times \frac{112.96}{100} =$	125.94

Pour calculer une série, par exemple sur 1985=100, il suffit de diviser la série dérivée par la moyenne de 1985 de cette série dérivée.

Note

Étant donné le nombre apparent de contrats pour lesquels, dans l'arène internationale, on utilise les indices par zone à des fins d'indexation, il convient peut-être de faire une mise en garde importante. La méthode de calcul des totaux par zone a été choisie en raison de la nécessité de ces indices pour l'analyse économique, où l'exactitude des indices est censée être d'une importance déterminante. On a supposé par ailleurs que les avantages liés à la disponibilité de données exactes compensaient l'inconvénient du processus de révision continue.

Il est évidemment possible de construire des indices par zone avec des pondérations constantes pour une période de temps donnée (par exemple cinq ans). Les coefficients de pondération pourraient être ceux calculés au cours de l'année de référence des PPA et ils pourraient rester constants jusqu'à l'année de référence suivante pour les PPA. De cette manière, on pourrait obtenir une stabilité qui peut être importante dans le domaine commercial. Reste posée, cependant, la question de l'exactitude de cet indice par zone.

MAIN SALES OUTLETS OF OECD PUBLICATIONS
PRINCIPAUX POINTS DE VENTE DES PUBLICATIONS DE L'OCDE

ARGENTINA – ARGENTINE
Carlos Hirsch S.R.L.
Galería Güemes, Florida 165, 4° Piso
1333 Buenos Aires   Tel. (1) 331.1787 y 331.2391
Telefax: (1) 331.1787

AUSTRALIA – AUSTRALIE
D.A. Information Services
648 Whitehorse Road, P.O.B 163
Mitcham, Victoria 3132   Tel. (03) 873.4411
Telefax: (03) 873.5679

AUSTRIA – AUTRICHE
Gerold & Co.
Graben 31
Wien I   Tel. (0222) 533.50.14

BELGIUM – BELGIQUE
Jean De Lannoy
Avenue du Roi 202
B-1060 Bruxelles   Tel. (02) 538.51.69/538.08.41
Telefax: (02) 538.08.41

CANADA
Renouf Publishing Company Ltd.
1294 Algoma Road
Ottawa, ON K1B 3W8   Tel. (613) 741.4333
Telefax: (613) 741.5439
Stores:
61 Sparks Street
Ottawa, ON K1P 5R1   Tel. (613) 238.8985
211 Yonge Street
Toronto, ON M5B 1M4   Tel. (416) 363.3171
Telefax: (416)363.59.63

Les Éditions La Liberté Inc.
3020 Chemin Sainte-Foy
Sainte-Foy, PQ G1X 3V6   Tel. (418) 658.3763
Telefax: (418) 658.3763

Federal Publications Inc.
165 University Avenue, Suite 701
Toronto, ON M5H 3B8   Tel. (416) 860.1611
Telefax: (416) 860.1608

Les Publications Fédérales
1185 Université
Montréal, QC H3B 3A7   Tel. (514) 954.1633
Telefax : (514) 954.1635

CHINA – CHINE
China National Publications Import
Export Corporation (CNPIEC)
16 Gongti E. Road, Chaoyang District
P.O. Box 88 or 50
Beijing 100704 PR   Tel. (01) 506.6688
Telefax: (01) 506.3101

DENMARK – DANEMARK
Munksgaard Book and Subscription Service
35, Nørre Søgade, P.O. Box 2148
DK-1016 København K   Tel. (33) 12.85.70
Telefax: (33) 12.93.87

FINLAND – FINLANDE
Akateeminen Kirjakauppa
Keskuskatu 1, P.O. Box 128
00100 Helsinki
Subscription Services/Agence d'abonnements :
P.O. Box 23
00371 Helsinki   Tel. (358 0) 12141
Telefax: (358 0) 121.4450

FRANCE
OECD/OCDE
Mail Orders/Commandes par correspondance:
2, rue André-Pascal
75775 Paris Cedex 16   Tel. (33-1) 45.24.82.00
Telefax: (33-1) 49.10.42.76
Telex: 640048 OCDE

OECD Bookshop/Librairie de l'OCDE :
33, rue Octave-Feuillet
75016 Paris   Tel. (33-1) 45.24.81.67
(33-1) 45.24.81.81

Documentation Française
29, quai Voltaire
75007 Paris   Tel. 40.15.70.00

Gibert Jeune (Droit-Économie)
6, place Saint-Michel
75006 Paris   Tel. 43.25.91.19

Librairie du Commerce International
10, avenue d'Iéna
75016 Paris   Tel. 40.73.34.60

Librairie Dunod
Université Paris-Dauphine
Place du Maréchal de Lattre de Tassigny
75016 Paris   Tel. (1) 44.05.40.13

Librairie Lavoisier
11, rue Lavoisier
75008 Paris   Tel. 42.65.39.95

Librairie L.G.D.J. - Montchrestien
20, rue Soufflot
75005 Paris   Tel. 46.33.89.85

Librairie des Sciences Politiques
30, rue Saint-Guillaume
75007 Paris   Tel. 45.48.36.02

P.U.F.
49, boulevard Saint-Michel
75005 Paris   Tel. 43.25.83.40

Librairie de l'Université
12a, rue Nazareth
13100 Aix-en-Provence   Tel. (16) 42.26.18.08

Documentation Française
165, rue Garibaldi
69003 Lyon   Tel. (16) 78.63.32.23

Librairie Decitre
29, place Bellecour
69002 Lyon   Tel. (16) 72.40.54.54

GERMANY – ALLEMAGNE
OECD Publications and Information Centre
August-Bebel-Allee 6
D-53175 Bonn 2   Tel. (0228) 959.120
Telefax: (0228) 959.12.17

GREECE – GRÈCE
Librairie Kauffmann
Mavrokordatou 9
106 78 Athens   Tel. (01) 32.55.321
Telefax: (01) 36.33.967

HONG-KONG
Swindon Book Co. Ltd.
13–15 Lock Road
Kowloon, Hong Kong   Tel. 366.80.31
Telefax: 739.49.75

HUNGARY – HONGRIE
Euro Info Service
POB 1271
1464 Budapest   Tel. (1) 111.62.16
Telefax : (1) 111.60.61

ICELAND – ISLANDE
Mál Mog Menning
Laugavegi 18, Pósthólf 392
121 Reykjavik   Tel. 162.35.23

INDIA – INDE
Oxford Book and Stationery Co.
Scindia House
New Delhi 110001   Tel.(11) 331.5896/5308
Telefax: (11) 332.5993
17 Park Street
Calcutta 700016   Tel. 240832

INDONESIA – INDONÉSIE
Pdii-Lipi
P.O. Box 269/JKSMG/88
Jakarta 12790   Tel. 583467
Telex: 62 875

IRELAND – IRLANDE
TDC Publishers – Library Suppliers
12 North Frederick Street
Dublin 1   Tel. (01) 874.48.35
Telefax: (01) 874.84.16

ISRAEL
Electronic Publications only
Publications électroniques seulement
Praedicta
5 Shatna Street
P.O. Box 34030
Jerusalem 91340   Tel. (2) 52.84.90/1/2
Telefax: (2) 52.84.93

ITALY – ITALIE
Libreria Commissionaria Sansoni
Via Duca di Calabria 1/1
50125 Firenze   Tel. (055) 64.54.15
Telefax: (055) 64.12.57

Via Bartolini 29
20155 Milano   Tel. (02) 36.50.83

Editrice e Libreria Herder
Piazza Montecitorio 120
00186 Roma   Tel. 679.46.28
Telefax: 678.47.51

Libreria Hoepli
Via Hoepli 5
20121 Milano   Tel. (02) 86.54.46
Telefax: (02) 805.28.86

Libreria Scientifica
Dott. Lucio de Biasio 'Aeiou'
Via Coronelli, 6
20146 Milano   Tel. (02) 48.95.45.52
Telefax: (02) 48.95.45.48

JAPAN – JAPON
OECD Publications and Information Centre
Landic Akasaka Building
2-3-4 Akasaka, Minato-ku
Tokyo 107   Tel. (81.3) 3586.2016
Telefax: (81.3) 3584.7929

KOREA – CORÉE
Kyobo Book Centre Co. Ltd.
P.O. Box 1658, Kwang Hwa Moon
Seoul   Tel. 730.78.91
Telefax: 735.00.30

MALAYSIA – MALAISIE
Co-operative Bookshop Ltd.
University of Malaya
P.O. Box 1127, Jalan Pantai Baru
59700 Kuala Lumpur
Malaysia   Tel. 756.5000/756.5425
Telefax: 757.3661

MEXICO – MEXIQUE
Revistas y Periodicos Internacionales S.A. de C.V.
Florencia 57 - 1004
Mexico, D.F. 06600   Tel. 207.81.00
Telefax : 208.39.79

NETHERLANDS – PAYS-BAS
SDU Uitgeverij Plantijnstraat
Externe Fondsen
Postbus 20014
2500 EA's-Gravenhage   Tel. (070) 37.89.880
Voor bestellingen: Telefax: (070) 34.75.778

**NEW ZEALAND
NOUVELLE-ZÉLANDE**
Legislation Services
P.O. Box 12418
Thorndon, Wellington   Tel. (04) 496.5652
                          Telefax: (04) 496.5698

NORWAY – NORVÈGE
Narvesen Info Center – NIC
Bertrand Narvesens vei 2
P.O. Box 6125 Etterstad
0602 Oslo 6   Tel. (022) 57.33.00
                          Telefax: (022) 68.19.01

PAKISTAN
Mirza Book Agency
65 Shahrah Quaid-E-Azam
Lahore 54000   Tel. (42) 353.601
                          Telefax: (42) 231.730

PHILIPPINE – PHILIPPINES
International Book Center
5th Floor, Filipinas Life Bldg.
Ayala Avenue
Metro Manila   Tel. 81.96.76
                         Telex 23312 RHP PH

PORTUGAL
Livraria Portugal
Rua do Carmo 70-74
Apart. 2681
1200 Lisboa   Tel.: (01) 347.49.82/5
                         Telefax: (01) 347.02.64

SINGAPORE – SINGAPOUR
Gower Asia Pacific Pte Ltd.
Golden Wheel Building
41, Kallang Pudding Road, No. 04-03
Singapore 1334   Tel. 741.5166
                         Telefax: 742.9356

SPAIN – ESPAGNE
Mundi-Prensa Libros S.A.
Castelló 37, Apartado 1223
Madrid 28001   Tel. (91) 431.33.99
                         Telefax: (91) 575.39.98

Libreria Internacional AEDOS
Consejo de Ciento 391
08009 – Barcelona   Tel. (93) 488.30.09
                         Telefax: (93) 487.76.59
Llibreria de la Generalitat
Palau Moja
Rambla dels Estudis, 118
08002 – Barcelona
            (Subscripcions) Tel. (93) 318.80.12
            (Publicacions) Tel. (93) 302.67.23
                         Telefax: (93) 412.18.54

SRI LANKA
Centre for Policy Research
c/o Colombo Agencies Ltd.
No. 300-304, Galle Road
Colombo 3   Tel. (1) 574240, 573551-2
                   Telefax: (1) 575394, 510711

SWEDEN – SUÈDE
Fritzes Information Center
Box 16356
Regeringsgatan 12
106 47 Stockholm   Tel. (08) 690.90.90
                         Telefax: (08) 20.50.21

Subscription Agency/Agence d'abonnements :
Wennergren-Williams Info AB
P.O. Box 1305
171 25 Solna   Tel. (08) 705.97.50
                         Téléfax : (08) 27.00.71

SWITZERLAND – SUISSE
Maditec S.A. (Books and Periodicals - Livres
et périodiques)
Chemin des Palettes 4
Case postale 266
1020 Renens   Tel. (021) 635.08.65
                         Telefax: (021) 635.07.80

Librairie Payot S.A.
4, place Pépinet
CP 3212
1002 Lausanne   Tel. (021) 341.33.48
                         Telefax: (021) 341.33.45

Librairie Unilivres
6, rue de Candolle
1205 Genève   Tel. (022) 320.26.23
                         Telefax: (022) 329.73.18

Subscription Agency/Agence d'abonnements :
Dynapresse Marketing S.A.
38 avenue Vibert
1227 Carouge   Tel.: (022) 308.07.89
                         Telefax : (022) 308.07.99

See also – Voir aussi :
OECD Publications and Information Centre
August-Bebel-Allee 6
D-53175 Bonn 2 (Germany) Tel. (0228) 959.120
                          Telefax: (0228) 959.12.17

TAIWAN – FORMOSE
Good Faith Worldwide Int'l. Co. Ltd.
9th Floor, No. 118, Sec. 2
Chung Hsiao E. Road
Taipei   Tel. (02) 391.7396/391.7397
                 Telefax: (02) 394.9176

THAILAND – THAÏLANDE
Suksit Siam Co. Ltd.
113, 115 Fuang Nakhon Rd.
Opp. Wat Rajbopith
Bangkok 10200   Tel. (662) 225.9531/2
                         Telefax: (662) 222.5188

TURKEY – TURQUIE
Kültür Yayinlari Is-Türk Ltd. Sti.
Atatürk Bulvari No. 191/Kat 13
Kavaklidere/Ankara   Tel. 428.11.40 Ext. 2458
Dolmabahce Cad. No. 29
Besiktas/Istanbul   Tel. 260.71.88
                         Telex: 43482B

UNITED KINGDOM – ROYAUME-UNI
HMSO
Gen. enquiries   Tel. (071) 873 0011
Postal orders only:
P.O. Box 276, London SW8 5DT
Personal Callers HMSO Bookshop
49 High Holborn, London WC1V 6HB
                         Telefax: (071) 873 8200
Branches at: Belfast, Birmingham, Bristol, Edin-
burgh, Manchester

UNITED STATES – ÉTATS-UNIS
OECD Publications and Information Centre
2001 L Street N.W., Suite 700
Washington, D.C. 20036-4910 Tel. (202) 785.6323
                         Telefax: (202) 785.0350

VENEZUELA
Libreria del Este
Avda F. Miranda 52, Aptdo. 60337
Edificio Galipán
Caracas 106   Tel. 951.1705/951.2307/951.1297
                 Telegram: Libreste Caracas

Subscription to OECD periodicals may also be
placed through main subscription agencies.

Les abonnements aux publications périodiques de
l'OCDE peuvent être souscrits auprès de
principales agences d'abonnement.

Orders and inquiries from countries where Distributors have not yet been appointed should be sent to
OECD Publications Service, 2 rue André-Pascal,
75775 Paris Cedex 16, France.

Les commandes provenant de pays où l'OCDE n'
pas encore désigné de distributeur devraient êtr
adressées à : OCDE, Service des Publications,
2, rue André-Pascal, 75775 Paris Cedex 16, France

3-199